文春文庫

鬼平犯科帳

（十九）

池波正太郎

文藝春秋

本書は平成二年に刊行された文庫の新装版です。

目次

鬼平犯科帳（十九）

霧《きり》の朝《あさ》

一

髪の毛を無造作に櫛巻《くしまき》にして鉢巻をしめ、着物の双肌《もろはだ》をぬぎ、手ぬぐいを縫い合わせた肌着から太《ふと》やかな腕を剝《む》き出しにし、あぐらをかいたような坐り方で左足の爪先で桶《おけ》を押え、桶の底をはめこむための細い溝を彫っている態《さま》は、到底、女ともおもえぬ。

だが、女であることに間ちがいはない。

深川の万年町《まんねんちょう》二丁目の桶屋の富蔵《とみぞう》の女房おろくが、亭主にかわって桶をつくっているのだ。

富蔵は、目と鼻の先の万年町一丁目に住む御用聞きの政七《まさしち》の手先となってはたらくことが多く、本職の桶つくりは女房にまかせているものだから、

「あそこは、もう桶富じゃあない。桶ろくだよ」

などと、土地《ところ》の人たちがいっているそうな。

三十五歳の桶屋の富蔵は、細身で小柄で色白の、

「ちょいと苦みばしった、いい男」

という評価を得ているが、女房のおろくは、

「まるで女相撲《おんなずもう》を見たような……」

巨大な体軀のもちぬしであった。

もともと、この桶屋は、おろくの父親が家業としていたもので、富蔵は養子に入ったのだ。

富蔵は、親分の仙台堀《せんだいぼり》の政七と共に、火付盗賊改方《ひつけとうぞくあらためかた》の探索に、よく協力をしてくれる。

本来は、町奉行所の探索にはたらく御用聞きなのだが、政七は盗賊改方の長官・長谷川平蔵《はせがわへいぞう》を敬慕しており、

「政七のやつは、盗賊改メから饅頭《まんじゅう》でも貰っていやがるのか……」

などと、町奉行所の同心たちの中には、悪態《あくたい》をつく者もいないではない。

もともと、町奉行所と盗賊改方は、あまり仲がよくないのである。

「よう、精が出るのう」

桶屋の前へ立った編笠の侍が、おろくへ声をかけた。

汗ばんだ顔をあげたおろくが、

「あれまあ……」

びっくりして、両手をつき、

「とんでもないところを、お見せいたしまして……」

「何の、見惚《みほ》れていたわ」

編笠をぬいで顔を見せたのは、ほかならぬ長谷川平蔵であった。

その後ろに、今日で五日ほど、長官の市中見廻りの供をしている細川峯太郎《ほそかわみねたろう》。

二人とも、浪人姿の見廻りだ。

手ぬぐい地の肌着の胸もとから、おろくの、薄汗《うすあせ》に光った風船玉のような乳房が食《は》みこぼれそうになっているのを、細川は眼をまるくして見つめている。

「富蔵は、今日も、お上《かみ》の御用かえ？」

「は、はい」

三十歳の大女だが、よくよく見ると、おろくは実に愛らしい顔をしている。

ぱっちりとした黒眸《くろめ》がちの眼が生き生きとしていて、低くて鼻の先がわずかに上を向いているのも、平蔵は、

(好ましい……)

と、かねてからおもっていた。

「今日はな、わしが湯殿で使う桶をわけてもらいに立ち寄った。余分があるかな？」

「はい、はい。ございます」

おろくが、取って出して、

「これで、あの、よろしゅうございましょうか？」

「おお、上出来、すまぬが包《くる》んでくれ」

「かしこまりました」

四百石の旗本の主《あるじ》で、いまをときめく盗賊改方の長官が気軽に桶を買いに来るなどとは、長年、この商売をしているおろくにとって、まさに、

「前代未聞……」

の、事であったろう。

おろくが、そこは深川の女だけに、奥へ駆け込んで惜しげもなく真新しい風呂敷へ湯桶を包み、着物の肌を入れ、鉢巻をとって店先へもどり、平蔵へ差し出すのを、

「うむ」

にっこりとうなずいた長谷川平蔵が、すでに用意してあった金包みを、細川同心の手から、おろくへわたさせた。

紙に包まれた金は、小判で一両。

現代でいえば、およそ十万円にも相当しよう。

湯桶一つに十万円もはずむのは妙なはなしだが、そこはそれ、かねてからの桶屋の富蔵のはたらきをねぎらう意味がこめられていたのだ。

手ざわりで、それと知って、

「あの、これは……」

おろくが、驚くのへ、

「ま、取っておいてくれい」

「でも、あの……」

「富蔵へ、よろしくな」

こういって、平蔵が受け取った湯桶の包みを細川峯太郎へ持たせたときに、異変の知らせが入った。

いや、この知らせをおろくへもってきた隣家の女房は、いささかも異変が起ったとはおもっていなかった。

「おろくさん。幸《こう》ちゃんが、いま仙台堀を舟に乗って大川へ出て行くのを見たよ。うれしそうな顔をして私に手を振っていたっけ。いっしょに乗っていた女のひとは、お前さんの親類かえ？」

隣家の女房がいうのを聞いたおろくの顔色が変った。

「そりゃ、ほんとうかえ？」

「ほんとうも、嘘もない。幸ちゃんが私に手を振って……」

「どこでさ。どこで手を振っていたんだよ？」

「どうしたのさ。おろくさん。そ、そんな怖い顔をして……」

「どこで見た、どこで？」

「松平様の蔵屋敷《くらやしき》のところで……」

と、女房がいうや、おろくは、其処《そこ》にいる長谷川平蔵へ、

「ごめん下さいまし」

声をかけたのが精一杯で、跣《はだし》のまま外へ飛び出しかけた。

その腕をつかんだ平蔵が、

「これ、どうしたのだ？」

「うちの子が、勾引《かどわか》されたんでございます」

叫ぶようにいったおろくが、平蔵の手を振り切って家を走り出た。

店の前を北へ出ると、突き当りが仙台堀である。

「細川。桶の包みを其処へ置き、ついてまいれ」

「はっ」

おろくを追って、平蔵と細川が走り去るのを、隣家の女房は呆気《あっけ》にとられて見送った。

桶富夫婦には、子がない。

そこで、或人《あるひと》の世話で生まれたばかりの男の子を貰った。

名前を幸太郎《こうたろう》とつけて、今年、四歳になっている。

その幸太郎が、近所の子たちと家の近くで遊んでいるものとばかりおもっていたのに、
何処《どこ》かの女が舟へ乗せ、大川（隅田川）の方へ連れ去ったと聞いたおろくは、

（きっと、生みの母親が取り返しに来たにちがいない）

咄嗟《とっさ》に、そう感じた。

二

桶富夫婦の養子・幸太郎は、ついに見つからなかった。

隣家の女房が見たとき、幸太郎を乗せた舟は仙台堀から大川へ入る直前であったというから、おろくと平蔵たちが駆けつけても間に合わなかった。

死人《しびと》のように蒼ざめたおろくを、平蔵は、ともかくも家へ連れてもどった。

そこへ、御用聞きの政七の女房が駆けつけて来た。

政七の家は、桶屋の富蔵宅から目と鼻の先にある。

隣家の女房が異変と知って騒ぎ立てたので、これがすぐ耳へ入ったのであろう。

富蔵は、親分の政七と共に、お上《かみ》の御用で何処かへ出かけている。

「まあ、おろくさん。まだ何も勾引《かどわか》しときまったわけじゃあない。長谷川様もおいでなさる。落ちついて、しっかりしておくれよ」

政七の女房が、おろくへささやいた。

長谷川平蔵は、先ず細川峯太郎を、同じ深川の石島町《いしじまちょう》の船宿〔鶴や〕の亭主で、古参密偵・小房《こぶさ》の粂八《くめはち》の許《もと》へ走らせた。

深川で起った事件なら、どうしても粂八にはたらいてもらわねばなるまい。

これは、盗賊改方とは関係のない事件だといってよいが、平蔵は、
(桶富には、いつも助けてもらっているゆえ、今度は、でき得るかぎり、ちからになってつかわそう)

こころを決めていた。

平蔵は、近所の人びとが群れあつまって来たので表の戸を閉めきり、隣家の女房のみを呼び入れ、

「この坊主に付きそっていたというのは、どのような女であった？」

「よくは気がつきませんでございましたが、躰《からだ》つきは二十六、七か、と……」

「顔は？」

「いえ、それが頭巾《ずきん》のようなものをかぶっておりましたので……」

「何、頭巾をな……」

「はい」

仙台堀に沿った道を歩いていた女房が、幸太郎に気づいて、

「おい、おい、幸坊。何処へ行くのだえ？」

大声に叫ぶと、幸太郎が振り向き、笑いながら手を振って見せた。

「そのとき、頭巾の女はどうした？」

「ちらりと、こっちを見たようでございましたが、別に、気にもとめないようで……」

「あわてた様子もなかったか？」

「ございませんでした」

舟は、猪牙船《ちょきぶね》で、ほかに乗っていたのは船頭ひとりきりであったそうな。

女は、町女房ふうの姿で、身につけているものも悪いものではなかったようだ。

「いずれ、また尋ねることもあろう。外へ出てはならぬぞ」

平蔵は隣家の女房を帰してから、おろくへ、

「幸太郎は何処から貰った？」

「口ききをしてくださいましたのは、山本町の松野順庵《まつのじゅんあん》先生でございます」

「あ、そうだったね」

うなずいた政七の女房が、平蔵へ、

「長谷川様。順庵先生に此処へ来ていただきましょうか？」

問いかけたのは、さすがに御用聞きの女房であった。

「うむ。そうしてくれ。わしからと申してよい」

「かしこまりました」

政七の女房は、すぐに裏口から駆け出して行った。

その後で、おろくがいうには、幸太郎を生んだ女が、二年ほど前までは何度も、

「どのようにも、お詫びをするから、何とか、あの子を返してもらえまいか……」

と、口をきいた町医者・松野順庵のところへ、執拗《しつよう》にたのみこんで来たそうだ。

むろん、おろくは承知をしなかった。

腹を痛めた子ではないが、生まれ落ちてすぐに貰い受けたのだし、乳の出ない自分の巨大な乳房を口にふくませふくませ、近所で貰い乳をして育て、いまでは、ほんとうの自分の子だという信念を、おろくはもっている。

「万一ということもあるから、うっかりと幸坊を外へ出さぬがよい」

と、松野順庵がいったし、当座は、おろくも充分に気をつけていた。

だが、そのうちに生みの親から何もいってこないようになり、幸太郎も四歳になって、

「知らない人にさそわれても、いっしょに行ってはいけないよ」

おろくがあたえる注意にも、

「ウン」

と、うなずいて見せる。

そこで近ごろ、ついつい油断をしてしまったらしい。

いつの間にか、夕闇が濃くなっている。

小房の粂八が細川と共に駆けつけて来て、平蔵の指示を受け、また外へ飛び出して行った。

「私は、いかがいたしましょう？」

と、細川。

「お前は、わしについているがよい」

そこへ、桶屋の富蔵が、これも蒼くなって飛び込んで来た。家へ入る前に、隣家の女

房から事情を聞いたらしい。

仙台堀の政七とは途中で別れ、富蔵は帰宅したのだ。

ほとんど同時に、政七の女房が松野順庵を連れて来て、

「それじゃあ私は家《うち》へ帰り、親分がもどるのを待つことにしよう」

おろくへささやき、平蔵へ、

「もったいないことでございます」

両手を合わせんばかりに頭を下げたものである。

桶屋の富蔵は衝撃を受けながらも、さすがにしっかりしたもので、

「私どもの事でございます。どうか長谷川様、御役宅へ……」

「何、遠慮は無用じゃ。お前のせがれを勾引《かどわか》したとあれば、そやつも盗賊同然、捨ててはおけぬ」

「そのようにおっしゃられますと……」

「かまわぬ、かまわぬ」

おろくも、気を取り直したらしい。

狭い家の中へ行燈《あんどん》やら大蠟燭《おおろうそく》やら、あかあかと灯りをともし、台所へ入って夕餉《ゆうげ》の仕度にかかった。

平蔵と細川が口へ入れるものをと、おもいたったらしい。

六十をこえた松野順庵は、平蔵の質問にこたえはじめた。

それによると、幸太郎を生んだのは、本所の瓦焼き職人吉造《きちぞう》の女房おきねという。

吉造は大酒のみの上に、稼ぎをほとんど博奕《ばくち》へ入れあげ、

(これでは、生まれた子も育たない。何処かで貰ってくれたら……)

おもいあまった女房のおきねが、近くの成願寺《せいがんじ》の和尚へ相談をした。

この成願寺が、松野順庵の菩提所《ぼだいしょ》だったところから、

「たれか、よい人はおりませぬかな？」

和尚が、寺へ訪ねて来た順庵に、このはなしをした。

そのとき、順庵がおもいついたのは桶富の夫婦であった。

「もう、生まれそうにもないから、生まれてすぐの子なら貰ってもようございます」

と、おろくはいい、ただし、こちらの名前と住所は相手方へ洩らさぬという約定《やくじょう》で、
仕度金として金三両を瓦焼きの女房へわたした。

ところが二年前に、女房のおきねが順庵宅へやって来て、何とか、

「あの子を返してもらえまいか……」

おろくへ返すための、三両をもって、たのみにあらわれた。

松野順庵は、きびしく、はねつけている。

「亭主が博奕で、勝ったのかして、たしかに小判で三両、もってまいりましたが、身なりなどは以前のままで、いかにも貧しげでございましてな」

と、順庵は、平蔵に語った。

そのうちに、おきねは姿をあらわさなくなり、順庵も、

(あきらめたのであろう)

そうおもっていたのだ。

「ただ、いささか気になりますのは、こちらの夫婦のことを、成願寺の和尚がひょいと瓦焼きの女房へ洩らしてしまったらしいので……」

「なるほど」

「もしやすると、これは、やはり……」

「その瓦焼きの夫婦は、成願寺の近くに住んでいると申されたな」

「いえ、それが……実は、今年の春先に成願寺を訪ねました折、和尚が申しますには、夫婦して夜逃げ同様に、何処かへ姿を隠してしまったと申します」

「ほう……」

「博奕の借りをさいそくに来る、性質《たち》のよくない連中に脅されて、もう居たたまれなくなったらしいと、和尚が申しておりました」

「なるほど」

桶屋の富蔵は先刻から面《おもて》を伏せ、凝《じっ》と両眼を閉じていたが、このとき急に、

「幸太郎は、たしかに勾引《かどわか》されたにちがいございません」

呻《うめ》くように、いい出た。

「ですが長谷川様。せがれを勾引したのは、瓦焼きの夫婦だとはかぎりませんでござい

ます」

「いいえ、お前さん……」

と、台所からおろくが口を出すのへ、

「手前《てめえ》は黙っていろ」

叱りつけた桶富が、

「仙台堀の親分にしろ、私にしろ、悪い奴どもから買っている怨みは数え切れませんでございます」

と、いった。

これには、長谷川平蔵も同感であった。

町奉行所と盗賊改方のちがいこそあれ、悪人どもの逆恨みの恐ろしさを実証する事件はすくなくない。

平蔵自身、彼らの逆恨みによる襲撃を何度も受けているし、毒殺されかかったこともある。

「富蔵……」

「はい」

「お前に、何ぞ、こころ当りがあるのか？」

「いいえ、さしあたってはございませんが……あるといえば、これはもう数え切れませんので」

「そうか……」

平蔵は腕を組んだ。

幸太郎に付きそって舟に乗っていた女は、隣家の女房が申し立てたところによると、その姿といい、身なりといい、

（どうも瓦焼きの女房ではない……）

ようにおもえる。

その女は、女房が幸太郎へ声をかけたとき、すこしもあわてなかったという。

瓦焼きの女房なら、きっと、狼狽《ろうばい》したにちがいない。

そこへ、仙台堀の政七が、

「富。幸坊が攫《さら》われたと……」

血相を変えて飛び込んで来た。

三

それから三日がすぎた。

桶富の子の幸太郎は、依然として行方が知れぬ。

長谷川平蔵は、深川の土地にくわしい同心・木村忠吾《きむらちゆうご》と松永弥四郎《まつながやしろう》へ密偵二名をあたえ、

「今度は、こっちが役に立ってやらねばならぬ。手ぬきをしたら許さぬぞ」

と、念を入れ、

「細川峯太郎が鶴やにいるから、存分に下ばたらきをさせるがよい」

「細川が、でございますか……」

忠吾は、うんざりした。

つい先ごろまで、役宅に詰め切りで算盤《そろばん》を弾いていた細川などは、

(足手まといになるばかりだ)

とでもいいたげな顔つきであった。

「忠吾……」

「は?」

「何が不服じゃ?」

「いえ。と、とんでもございません」

「お前も妻を迎えて、いくらかはしっかりしてまいったとおもうていたのだが、わしの目が誤っていたようじゃな」

「いえ、あの……」

「細川と共にはたらくのが迷惑なれば、今日より勘定方をつとめよ」

「いえ、それは、あの……」

忠吾は平伏して、

「申しわけもございません」

「お前も、よいかげんに大人になれ。よいか」

「なりまする、なりまする」

小房の粂八が役宅へあらわれたのは、その夜のことだ。

平蔵は粂八を居間へよんで、酒の相手をさせた。

「まだ、何の手がかりもないか？」

「それが、どうも、妙なんでございます。桶富の女房が幸坊から目をはなしていたのは、ほんの半刻《はんとき》（一時間）ほどで、幸坊は台所の外の細道へ、いつの間にか出て行ったらしいのでございますが、これを見た者が近所にもいないので」

「ふうむ……」

「となりの女房だけが、舟に乗せられて大川へ出て行く幸坊を見たというのでございますが、どうもこれほど、手がかりがないというのもめずらしいことでございます」

「他《ほか》の、たれかの目にも、とまりそうなものだが……」

「よほどに、間が悪かったのでございましょう」

「桶富の女房は、どうしている？」

「それが長谷川様。大形《おおぎょう》に申しますなら、あの大きな躰が半分になって見えるほど、窶《やつ》れ切ってしまいました。何しろ、物を食わないのでございます」

粂八も、政七も富蔵も、深川一帯の船宿という船宿を、虱《しらみ》つぶしにあたってみたが全く手がかりはつかめていない。

その翌日。

長谷川平蔵は、与力・佐嶋忠介《さじまちゆうすけ》へ、

「今日は、様子を見てまいろう」

いいおいて、役宅へよばせた町駕籠《まちかご》に乗り、深川へ向った。

ときに、四ツ(午前十時)を、すこしまわっていたろう。

ちょうど、そのころであった。

あの〔乞食坊主〕の井関録之助《いぜきろくのすけ》の姿を、品川の八《や》ツ山下《やました》に見ることができる。

いまの録之助は、乞食坊主ともいえまい。

この春の〔鬼火〕事件の後も、小石川・柳町《やなぎちよう》の西光寺《さいこうじ》へとどまり、和尚を助けて経もよむし、檀家を訪問したりもする。

したがって法衣《ほうい》もこざっぱりとしたものを身につけているし、頭も青々と剃《そ》りあげている。

(どうも、こんな落ちついた明け暮れというのは、おれに向かぬらしい)

また托鉢《たくはつ》坊主にでもなって、

(旅へ出てみようか……)

録之助は、そうおもいはじめていた。

この日は、ぬぐったような秋晴れとなったので、

（そうだ。以前の、おれの小屋はどうなっているか。ちょいと訪ねてみよう）

と、西光寺を出て、品川宿へ向ったのである。

品川宿を出外れた八ツ山下の小道を、くねくねとのぼったところの、林の中の小さな小屋に以前の井関録之助は暮していた。

まわりは、むかし畑であったが、いまは荒地になってい、その東面の加藤越中守《えっちゅうのかみ》・下屋敷《しもやしき》の塀外から荒地へかけての林の中の小屋は、むかし、このあたりに住んでいた百姓の物置小屋であったらしい。

録之助は、板屋根から雨漏りのする小屋に着のみ着のままで暮し、垢《あか》と汗にまみれて異臭をはなつ法衣を着て、諸方の家々の門口《かどぐち》で妙な経文らしきものを喚《わめ》くように唱え、銭だの米だのをもらっていた。

商家などでは、得体の知れぬ髭面の乞食坊主に門口へ立たれては、

「商売の邪魔になる……」

というわけで、ほとんど、銭を包んでよこす。

（あのころはよかった。髭もそのまま、髪も伸びほうだい、湯へ入る面倒もなく、気ままに飲んだり食ったりして暮していたものよ）

腐れかかった小屋は、もう取り壊されているのではないかと予想していたのだが、

（や、あった……）

林の中に件《くだん》の小屋を見出したときのなつかしさは、何ともいえぬものであった。

雲ひとつない空に、雁《かり》の群れがわたっている。

小屋の戸は、閉まっていた。

近寄った井関録之助が、しずかに戸を引き開けて、

「や……？」

おもわず声を発したのは、小屋の中に男がひとり、眠っていたからである。

小屋に煎じ薬のにおいがこもっていた。

男は、中へ入って来た録之助に気づかず、寝息をたてている。

大きな雑巾《ぞうきん》のような二枚の蒲団にくるまり、細い躰を折って、こちらに顔を向けている男は、

（どう見ても、病人……）

としかおもわれぬ。

寝息も苦しげなのだ。

髪も乱れつくし、灰色の顔は穢苦《むさくる》しい髭に埋もれていた。

小屋の中は三坪ほどで、その半分に板を敷き筵《むしろ》を置いてあるのも、以前のままだし、かつては録之助が使用していた水桶などのほかに土瓶《どびん》や七輪《しちりん》も置いてあり、小さな釜に茶わんが二つあるのが目に入った。

（この男のほかに、もう一人、だれかが住んでいるらしい）

屈み込んで、凝《じっ》と男の窶《やつ》れた顔を見つめた録之助の気配に、男が目覚めた。

「あっ……」

驚愕して半身を起し、わなわなと震え出した男へ録之助が、

「おい」

「へ……」

「お前、何だ？」

「へ……」

「何だよ？」

「へ……乞食《おこも》でございます」

「何だと……」

「お、おこもなんでござ……」

「乞食が寝ていたのでは、稼ぎになるまい」

「いえ、あの……病気なんで……」

「どこが悪い？」

「どこも、かしこも……」

「お前のほかに、もう一人、乞食がいるのか？」

「へ……」

「いるのかよ？」

「お、おりますでございます」

「どんな男だ。爺さんか？」

「いえ、あの、女房なんでございます」

「ほう。夫婦乞食か……」

「へ、へい」

「いつから、この小屋を巣にしているのだ？」

「み、三月《みつき》ほど、前からでございます」

「この小屋はな、おれの住栖《すみか》なんだぞ、おい」

「ええっ……」

「こいつめ。だれにことわって、この小屋へ入ったのだ」

録之助は笑いをこらえながら、おもしろがって苛《いじ》めていたのだが、

「も、申しわけもござ……」

いいさした男が恐怖のあまり、前のめりに倒れ、気を失ってしまった。

「あ……こいつ、何とまあ、だらしのねえやつだ」

すこしあわてた井関録之助が桶の水を汲んで男にのませ、背中を叩いて、

「おい。しっかりしろ」

「あ……」

「まあ、いい」

「へ……？」

「此処に居たけりゃあ、いてもいいよ」

「へっ。そ、そりゃ、まことでございますか？」

「病人に出て行けともいえまい」

「か、かたじけのうございます。かたじけのう……」

「よし、よし。さ、寝ろ。寝ていろ」

「へ……」

「寝ろよ、早く」

「は、はい」

男の女房が帰って来たのは、それから一刻（二時間）ほど後になってからだ。

井関録之助は、すでに小屋から去っていた。

引っ詰め髪も、ぼろぼろの着物も、垢と埃りにまみれ、まっ黒な素足に藁草履《わらぞうり》をはき、汚れて擦り切れた莫蓙《ござ》を巻いたのを小脇に抱えた女房が、

「お前さん。た、大変だ。大変だよう」

小屋へ飛び込んで来るなり、乞食の男へしがみついた。

「ど、どうしたんだ、おきね」

「あの子が……お前さん、あの子が……」

この乞食の夫婦は、元瓦焼きをしていた吉造とおきねであった。

四

この日も朝から、おきねは小屋を出た。

このところ、品川宿のあたりへ行き、寺の門前などへ莫蓙を敷き、いかにも哀れげに（実際、哀れ以外の何ものでもなかったのだ）頭を下げていると、日に何人かは銭を放ってよこしてくれたり、饅頭《まんじゆう》や握り飯をくれたりする。

品川は東海道の第一駅で、新宿・板橋・千住《せんじゆ》をふくめての四宿の筆頭であり、「……日本橋より二里。旅舎《りよしや》数百戸軒端《のきば》を連《つら》ね、常に賑わしく、往来の旅客絡繹《りよかくらくえき》として絶えず」

などと、物の本にある。

岡場所としての繁盛ぶりもたいそうなもので、数百の抱え女郎を置いた妓楼が、それこそ軒をつらねている。

したがって乞食の数も少くない。

おきねは、はじめて品川で物乞いをしたときには、さんざんに苛められたものだが、病気の亭主を抱えている女乞食だというので、

「まあ、いたわってやりねえ」

と、このあたりの縄張りを仕切っている菊左衛門《きくざえもん》という乞食の頭《かしら》の一声で、おきねも稼ぎやすくなった。

そのかわり、もらった銭の二割を菊左衛門へ納めねばならぬ。

だが、通りがかりに見つけた無人の小屋に住みついたし、夫婦ふたりが何とか食べてはいけるのだ。

本所から夜逃げをして間もなく、吉造が病気になってしまったので、

(こんな亭主を抱えていては、奉公口を見つけることもできない。それなら、いっそのこと、おこもさんになってしまおう)

と、おきねは決心をしたのである。

いま、こうして、どうにか落ちつくまでの、みじめなその日その日をおもい浮かべると、おきねは肌が粟立《あわだ》ってくる。

しかし、慣れてみると、乞食坊主をしていたころの井関録之助のいいぐさではないが、

「三日したら、やめられぬ……」

ところもあり、つまりは世間を捨ててしまえば、恥も外聞もなくなってしまうし、そうなれば却《かえ》って、

(生きていけるものだ……)

なのである。

自分の躰の垢の臭いも、虱をつぶすことも平気になり、思考力が消えて、ただもう、

「食う。眠る」

の二事だけにしか関心がなくなってしまう。

朝になれば、のろのろと品川宿へ出かけて行き、寺の門前の片隅で頭を下げていれば、銭が貰える。日が暮れたら、その日の貰いに相応した食べ物を買って帰るし、たまさかには吉造の薬も買うことができる。

菊左衛門は六十がらみの老乞食で、目黒川をすこしさかのぼったところの雑木林の中の掘立小屋に住んでいる。

さて……。

今日も、おきねは、南品川の天妙国寺《てんみようこくじ》の総門外の土塀の隅へ蹲《うずくま》って物乞いをするため、品川宿の裏道を南へ向った。

朝方、吉造が苦しがったりしたので、今日は小屋を出るのが遅かった。

八ツ山下へ出て、品川宿へ入ると、すぐに西側の裏道へぬけ、おきねは天妙国寺へ向った。

左側は、東海道に面した諸々《もろもろ》の店屋の裏手になっている。

ちょうど、北品川二丁目の裏道へ、おきねがさしかかって、何気なくひょいと左へ目をやったとき、左側の家の裏手の物干し場へ、四つか五つに見える男の子があらわれた。

「え、お前さん。その子を、だれだとおもうよ」

と、おきねが叫んだ。

「だれって、お前《めえ》……」

「幸太郎だよ。幸太郎なんだよ」

「げえっ……」

おきねは、夜逃げをする前に何度も深川へ足を運び、桶富の家で日に日に成長する幸太郎を、ひそかに見ていたのだ。

自分が腹を痛めた子に、幸太郎という名前がつけられていることも知った。

吉造が、めずらしく博奕で目が出て、まとまった金が入ったとき、夫婦が相談をし、

「むりを承知の上で……」

松野順庵のところへ行き、幸太郎を返してもらえまいかとたのみ、きびしく、はねつけられたこともある。

「ま、間ちげえはねえのか。ほんとうに幸太郎か？」

「そうとも、私が生んだ子だ。お前さんそっくりの顔だもの」

「どうしてまた、そんなところに……？」

吉造は、先刻、井関録之助があらわれたことも忘れてしまい、

「み、妙じゃあねえか、おい」

「そ、そうなんだよ」

物干し場の幸太郎を見て、おきねが、はっと立ちどまったとき、

「この餓鬼《がき》め」

怒鳴り声を発して物干し場へ駆けあがって来た三十がらみの男が、幸太郎の顔を撲《なぐ》りつけ、これを小脇に抱え、

「出ちゃあいけねえというのがわからねえか」

叱りつけて家の中へ消えた。

「そのときにね、その男が、下の道にいた私に気づいて、睨みつけやがった」

「何だと……」

「その眼つきの恐ろしさ、気味の悪さといったら、お前さん……」

「だが、そいつは、いってえ、どうしたわけなんだ」

「わからない。どう考えてもわからない」

「そ、その家というなあ、どんな……？」

「後から、そっと、表へまわって見たら、三河屋という酒屋なんだよ」

「ふうむ……桶富さんのところにいる幸太郎が、なぜ、品川宿の酒屋にいるのだろう？」

「それがわかりゃあ、何も、こんな……」

「そいつが……物干しへ出て来た幸太郎を、そいつが撲りつけたといったな」

「そうなんだよ。ありゃあ、徒事《ただごと》じゃあない」

「よ、よし」

胃の腑の痛みも忘れて、立ちあがった吉造が、

「と、ともかくも、おれが見て来る」

「そうしておくれかえ」

「当り前だ。あの子に万一の事でもありゃあ、おれは死んでも死にきれねえ」

五

深川の桶富の家へ、使いの者が手紙を届けに来たのは、ちょうど、そのころであったろう。

使いの者は、桶富からも程近い霊巌寺《れいがんじ》の門前の茶店の小女《こおんな》であった。

「女のお客さんから、これを、こちらへ届けるようにといいつかりました」

「女の、客だと……」

「へえ」

「ちょっと、待っていてくれ」

ちょうど富蔵は、家へ帰って来て、食のすすまぬ口へむりにも飯を押し込んでいたところだ。

箸を取ろうともしなかった女房のおろくも、女の客の手紙と聞いて、顔色が変った。

手紙は女の筆で、およそ、つぎのように書きしたためてあった。

おまえたちの子は、今日か明日のうちに息の根をとめてやる。それも指一本手足を一つずつ、切り刻みながら、なぶり殺しにしてやるから、そうおもえ。

そうして、その亡骸《なきがら》は桶に詰めて送ってやる。

ごん七、女房

「う……」

富蔵は、まるで短刀を腹へ突き込まれたような顔つきになった。

「お前さん。ど、どうしたんだよ。その手紙を、見せておくれ」

「いけねえ」

おろくの手を払い退け、富蔵は手紙をふところへ捩込《ねじ》んだ。

その手紙の中から落ちた物を見て、おろくが悲鳴をあげた。

それは、富岡八幡宮《とみがおかはちまんぐう》の守り札を、おろくが手縫いの小さな袋へ入れ、幸太郎の肌身へ付けさせておいたものである。

「お前さん。こ、これは……」

「しずかにしていろ」

昂奮《こうふん》を必死に押えて、富蔵が小女に、

「その女の客は、まだ、お前の茶店にいるのかえ？」

「いいえ、もう、いません」

夫婦の徒《ただ》ならぬ様子を見て、蒼ざめている小女へ、おろくが飛びかかって、

「ど、何処へ行ったんだよ、その女は……」

「し、知りませんよう」

小女が泣き声をあげた。

「莫迦《ばか》。いいかげんにしねえか」

女房を突き退けた富蔵が、怯える小女をなだめすかして尋《き》き取ったところによると、どうも、その女は幸太郎を舟に乗せて勾引《かどわか》して行った女らしい。

小女が逃げるように駆け去った後で、

「お前は此処をうごいちゃあならねえ。いいか、わかったな」

「私も行くよ。その女を取っ捕まえてやるんだよう!!」

「大声を立てるな、見っともねえ」

「その手紙を、見せておくれ」

つかみかかるおろくの顔を富蔵が張り叩き、物もいわずに外へ飛び出して行った。

おろくが泣き倒れた。

隣家の女房が裏口から、

「おろくさん。どうしたんだよ」

叫びながら、駆け込んで来た。

仙台堀沿いの道に、赤蜻蛉《とんぼ》が群れ飛んでいた。

血相を変えた富蔵が、親分の政七の家へ走り向っている。

そのころ……。

瓦焼きの吉造とおきねの乞食夫婦は、八ツ山下へ出て、品川宿へ入ろうとしていた。

二人は先ず、裏道から、その酒屋の物干し場を見ることにした。

街道筋とちがって、裏道には民家と民家の間に小さな畑があったり、空地に鶏頭《けいとう》の赤い花が咲いていたり、何処かで子供相手の飴屋の太鼓が、のんびりと聞こえていたりした。

「あの……あの物干しだよ、お前さん」

「あれか……」

酒屋の裏手は戸が閉ざされてい、物干し場にも人影はない。

夫婦は汚れた手ぬぐいで頬かぶりをし、細道をぬけて、表へまわった。

午後の、この時刻の街道筋は江戸を出る人、入る人の往来も跡絶《とだ》える。

そのかわりに、飯屋や茶店、蕎麦《そば》屋などは日中の稼ぎどきといってよい。

おきねと吉造は、酒屋の三河屋と東海道を隔てた真向いの、小玉《こだま》屋という蕎麦屋の門口の脇へ立って、三河屋の店先を見まもった。

三河屋は、あまり大きな店ではない。

店先には人もいなくて、奥の方は薄暗くて、よく見えなかった。

「おきね。たしかに、あの酒屋なのだな?」

「ま、間ちがいないよ」

「だが、どうして、こんなところへ幸太郎が……」

「そんなこと知るもんかね。どっちにしろ、徒事《ただごと》じゃあない。もしかすると人攫《ひとさら》いに攫

われたのじゃないだろうか……？」

「人攫いだ、と……」

「そうだよ。こりゃあ、お前さん。深川の桶富さんのところを、先ず、たしかめたほうがいいのじゃないかね」

「ふうむ……」

先刻まで、小屋の煎餅蒲団に包《くる》まって、まるで死人《しびと》のような顔をしていた吉造とは別人に見えた。

蒼ざめてはいたが、両眼には強い光りがやどり、昂奮をもてあました躰がふるえている。

「おきね……」

決意のこもった声で、吉造が、

「おれが、尋いてみる。お前は此処をうごくな」

「だって、お前さん……」

「真《ま》っ昼間《ぴるま》だ。怖がることもねえだろうよ。もしも何かあったら、大声で助けてくれといえ」

「だ、大丈夫かえ？」

「そんなことをいっていられるかよ。幸太郎は、おれとお前の子だ」

いうなり、吉造は頰かぶりをかなぐり捨てて、街道を突っ切って三河屋へ入って行っ

た。

出て来ない。

入って行ったきり、吉造は出て来ない。

おきねの顔の色が紙のようになった。

そのとき……。

蕎麦屋の戸障子が開き、坊主がひとり、外へ出て来た。

井関録之助である。

録之助は、あれから、旧知の人びとが多い品川宿へ立ち寄った。

蕎麦屋の小玉屋も、その一つで、いくらか銭が入ると録之助は、この店へやって来て冷酒をのみ、蕎麦をすすり込んだものなのだ。

亭主夫婦も小女も、

「この坊さんは臭い、臭い」

いいながらも厭《いや》な顔ひとつせずに、もてなしてくれた。

今日、突然あらわれた録之助を見て、老亭主が、

「おや、あの坊さんではないかよ。出世をしなすったね」

と、いったものだ。

先ず、葱《ねぎ》をふりかけた醬油豆《しようゆまめ》で酒をゆっくりとのみ、貝柱《はしら》の搔き揚げの天麩羅《てんぷら》そばを食べ、

「また、来るよ」

外へ出た途端に、いまにも打ち倒れそうな緊張と不安の極に達していたおきねに気づ
いた井関録之助が、

「おい、どうした？」

「あっ……」

声をかけたのが僧侶と見て、おきねは、もうたまりかね、

「お、お助け下さいまし」

と、録之助へすがりついた。

ところで……。

吉造は三河屋の中へ入って行ったが、店にはだれもいなかったので、裏口へ通じてい
る土間の通路を奥へ踏み込んで行った。

「この野郎。何をしていやがる!!」

通路の傍の障子が開き、ぬっとあらわれた男が吉造を突き飛ばした。

「あの、ちょっと、うかがいますが……」

「何だと」

「あの……その、こちらに子供が……」

「子供がどうした？」

いうや、男が腕をのばし、吉造の襟くびをつかんで引き寄せ、

「この乞食野郎め。そんなことを何処で聞いてきやがった？」

「そ、それじゃあ、やっぱり、幸太郎は此処にいるのだ」

「野郎……」

男は、いきなり吉造の顔を、つづけざまに撲りつけ、

「姐《あね》さん、姐さん！」

と、叫んだ。

障子の内にいた五十がらみの男が、

「乱暴をしてはいけねえ。やめておくれ、たのむよ」

と、いったようだ。

これが、この酒屋の亭主で、三吉であった。

吉造は撲りつけられて目が暗《くら》み、通路へ転倒している。

そこへ、坊主姿の井関録之助が、おきねを連れて飛び込んで来た。

「これ、何をしている」

録之助の大声《たいせい》が、酒の香のこもった薄暗い店の中へひびきわたった。

「な、なんだ、てめえは……」

「この家に、この女の子供がいるそうだな」

「な、何だと……」

吉造が這うように、通路から店の方へ逃げて来たのを、おきねが、

「お前さん。ど、どうしたのだよう」

「な、攫られた……」

と、しがみつく吉造を抱きしめたおきねへ、

「おきね。幸太郎は、やっぱりいるぜ」

「そ、そうかえ、ほんとかえ」

井関録之助が、障子をがらりと引き開け、

「おのれは、人の子を勾引《かどわか》したのか」

「うるせえ」

喚いた男が、ふところから短刀《あいくち》を引きぬくのへ、いきなり、

「神妙にしろ。盗賊改方、長谷川平蔵様手の者であるぞ!!」

録之助が雷のような声で怒鳴りつけた。

「う……」

ぽろりと、男の手から短刀が落ちた。

ちょうど、そのとき、二階の梯子《はしご》段から下りて来た女が、短刀を落した男の後ろを擦り抜けるようにして台所へ飛び出し、裏の戸を引き開けて外へ逃げた。

これで録之助に、

（こいつら、やはり、悪事をはたらいていた……）

ことが、はっきりとわかった。

そこで、これも女の後から逃げようとする男と、三河屋の亭主の前へまわり込み、

「それっ」

たちまちに強烈な当身をくわせた。

「むうん……」

「う、うう……」

ばたばたと、気を失って倒れる二人を見向きもせず、録之助は裏手へ飛び出した。

裏の道を逃げて行く女の後姿が見えた。

「待て」

録之助は、法衣《ころも》の裾を両手に捲《まく》りあげ、女を追いかけた。

女は、これも片手に裾を絡《から》げ、髷《まげ》もくずれんばかりに髪ふり乱し、必死に逃げる。

しかし、井関録之助も透かさず追跡にかかっただけに、取り逃がすはずはない。

息を切らした女が、法禅寺《ほうぜんじ》という浄土宗の寺の門前まで来て、境内へ逃げ込もうとしたところを、

「こいつめ……」

追いついた録之助が、女を軽く突き飛ばしておいて、

「あれえ、人殺し……」

などと、苦しまぎれの叫びをあげて倒れた女を押えつけた。

録之助が、女を引き立てて三河屋へもどって来ると、酒屋の裏表は一杯の人だかりで、

蕎麦屋の小玉屋の亭主や小女も外へ飛び出して来ていた。

これを見て、

「おい。おやじ、宿役人《しゅく》をよんで来てくれ。こいつらは悪い奴なのだ」

録之助の当身をくらった男二人は、まだ、息を吹き返さぬ。

すぐに、問屋場《とんやば》から宿役人たちが駆けつけて来た。

さて、こうなって、

(あの、乞食の夫婦は、どうしたろう?)

録之助が気づいたとき、すでに、吉造おきねの夫婦の姿は何処にも見えなかったのである。

そして、誘拐犯人たちが二階の部屋の押入れの中へ閉じ込めておいた幸太郎の姿も消えていた。

六

この春のことだが……。

桶屋の富蔵は、親分の政七の用事で麻布《あざぶ》の宮下町の名主・深見平十郎《ふかみへいじゅうろう》方へ使いに出た、その帰り途に鳥居坂へさしかかったとき、かねて手配中の殺人強盗犯・蜂須賀《はちすか》の為五郎《ためごろう》と、ばったり出合ったものだ。

蜂須賀の為五郎は、常陸《ひたち》の浪人・三橋《みはし》某と組み、品川女郎あがりの情婦お安をつかっ

て商家の主人などを誑《たぶら》かしたり、強請《ゆすり》をかけたり、三橋浪人の辻斬りの手引きをしたりしていた。

三橋浪人は、この正月に仙台堀の政七に捕えられたが、為五郎は逃走してしまった。

それだけに、桶屋の富蔵も必死で、

「為五郎、覚悟しろ」

猛然と組みつき、激しい格闘の末に、ようやく捕えることができたのである。

そして、夏が来るころには、三橋ともども、お上の裁決が下り、首を打たれたのであった。

為五郎の処刑を知った情婦のお安は、

「こんなことになったのも、桶富のやつが、うちの人を捕まえやがったからだ」

富蔵へ深い恨みをかけた。

そこで、お安は、為五郎の弟分で、稲沢《いなさわ》の倉吉《くらきち》という者と語らい、幸太郎を誘拐したのだ。

あの日。桶屋の裏手へ出て来た人なつこい幸太郎を、にこにこしながら手招きをして菓子をあたえ、

「お父つぁんが大川の舟の上で、坊《ぼう》を待っているよ。みんなで、いっしょに遊ぼうね」

と、素早く手を引き、松永橋《まつながばし》の下に稲沢の倉吉が潜ませておいた猪牙船《ちょきぶね》へ乗り移り、

仙台堀から大川へ逃げたのである。

お安と倉吉は、桶富夫婦の苦悩が頂点に達したところで、幸太郎を殺害するつもりだったと白状をしたそうな。

品川宿の酒屋・三河屋の亭主は、かつてのお安が品川の武蔵屋へ出ていたころの客の一人であった。

こうして、お安も倉吉も三河屋の亭主も、井関録之助のはたらきにより、お上の御縄にかかったわけだが、それはよいとしても、肝心の幸太郎が乞食夫婦と共に何処かへ消えてしまった。

長谷川平蔵は、役宅へ報告にあらわれた井関録之助へ、

「その乞食夫婦が、元瓦焼きの吉造夫婦であることは、もはや間ちがいない」

「いやあ、平蔵さん。私が、その事情を知っていたらなあ」

「お前が、盗賊改方の手の者だなぞと大見得を切るからいけないのじゃ。吉造夫婦はそれを聞いて、びっくりしてしまい、お前が女を追いかけている隙に二階の子供を助け出し、何処かへ姿を隠してしまったのだろうよ」

「ですが、何も逃げることはない。あの夫婦は悪事をはたらいたわけではないでしょう」

「だが、子供を取り返したかったのだ」

「なるほど」

「それに亭主の吉造はな、本所界隈《かいわい》で博奕に入れあげたり、大酒をくらって喧嘩をしたり、人を傷つけたりしてもいる」

「ははあ……」

録之助は、がっかりしてしまい、

「やはり、大見得を切ったのは、よけいでしたかね」

「よけいだとも」

「ですが、こっちのいうことを聞いて、あいつらがびっくりした。それを見て私も、見きわめがついたのですからな」

「それはそうだ。録之助、お前には罪はないわえ。ま、そう不機嫌な面《つら》をするな。ほめてやる、ほめてやる」

「何だか、取ってつけたような……」

「それはさておき、吉造夫婦は、八ッ山の上の、お前の小屋にも帰っていないそうだな」

「それは、まあ、そうでしょう。私に顔を見られているのですから……」

「桶富の子は、いまごろ、何処にいるのやら……」

「でも、悪人どものかわりに、実の親の手許にいるのですから、いくらかはましでしょう」

「酒をのむか?」

「ええ、いただきますよ」

平蔵は手を打って酒肴《しゅこう》の仕度を侍女にいいつけてから、

「ま、いずれにせよ、うまく他国へ逃げ込めぬかぎり、吉造夫婦を見つけるのは、わけもないことよ」

と、笑って見せ、

「なんだ、そういうことですか。それならやはり、私の手柄ということになる」

井関録之助も、ほっとしたようだ。

桶屋の富蔵も、仙台堀の政七も、こうなれば懸命に、吉造夫婦の行方を探索するにちがいない。

夫婦とも顔は知れているし、逃亡の事情も判明している。

江戸市中へ、お上の手配が廻れば、

「到底、逃げきれるものではない」

と、いってよい。

それは、品川宿での事件があってから、約半月後の或朝のことだ。

この朝の深川の、仙台堀のあたりには濃《こ》い霧がたちこめていた。

まるで、冬が来たように冷え込みが強い。

朝といっても、まだ明け六ツ（午前六時）前で、人びとが、ようやく起き出すころで

あった。

桶富の家では、女房のおろくが起き、竈へ火を入れた。

富蔵は毎日、足を棒のようにして江戸市中を探しまわっているが、吉造夫婦の行方は全く知れなかった。

品川で乞食の束《たば》ねをしている菊左衛門も、探索にちからを貸してくれているが、まだ発見できぬ。

おろくは依然、食がすすまなかったし、頭痛が激しくなり、顳顬《こめかみ》に梅ぼしを貼りつけ、ためいきの吐き通しで、あの大きな躰が、見ちがえるばかりに細くなってしまった。

しかし富蔵は、探索の見込みがついただけに、

「乞食の両親《ふたおや》に幸太郎を育てられて、たまるものか」

とばかり、すこしも挫《くじ》けず、朝飯をすませると家を飛び出し、夜ふけまで、諸方を探しまわっている。

仙台堀の政七も同様だったし、盗賊改方も、市中見廻りの与力・同心をはじめ、密偵たちも吉造夫婦の行方を探っていた。

(ああ、もう、幸太郎は帰って来まい。きっと、あの夫婦は幸太郎を連れ、うまく江戸から脱け出してしまったにちがいない。あれからもう、半月もたったというのに、まだ見つからないのだもの)

おろくは、つくまいとおもってもついてしまうためいきと共に、裏の戸を引き開けた。

裏の井戸へ、水を汲みに出ようとしたのである。

隣家でも、女房が起き出したらしい物音が聞こえていた。

富蔵は、連日の激しい疲れで、まだ死んだように眠っている。

桶富の家の裏手にも、霧がたちこめていた。

その霧の中から滲《にじ》み出るようにあらわれた小さな影が、

「おっ母《か》あ……」

叫ぶなり、おろくへ駆け寄って来た。

「あっ……」

手にした水桶を落し、驚愕と歓喜とが一つになったおろくは、一瞬、言葉も出ず、幸太郎の小さな躰を抱きしめた。

(ほ、ほんとうなのか……夢じゃあないのか……)

急に険しい目の色になって、あたりを見まわしたおろくが、幸太郎を抱きあげて家の中へ入り、戸を閉めて心張棒《しんばりぼう》を支《か》った。

「お前、どうして知らない人と行っちまったんだよ」

低い泪声《なみだごえ》で叱りつけ、屈み込んだおろくが、あらためて抱きしめようとして、しくしくと泣き出した幸太郎の帯の間に手紙のようなものがはさみ込んであるのに気づいた。

引き抜いて、ひろげて見た。

まさに手紙であった。

半紙に、禿びた筆の跡《ち》がいかにもたどたどしく、

「あいすみませんことをいたしました」

と、書き出してある。

読みにくい文字を三度も四度も辿って、おろくはようやくに意味をつかむことができた。

手紙を書いたのは、吉造の女房おきねである。

おきねは、こういっている。

「……あの騒ぎの中で、酒屋の二階の押入れに閉じこめられていた幸坊を助け出したときは、もう二度と、桶富さんへは返すまいとおもいました。

それから夫《やど》といっしょにあっちこっちを逃げまわっているうちに、私の、お腹の中に、新しい子ができていることがわかりました。

ほんとうに勝手でございますが、幸坊は、やっぱり、そちらの子にして下さいまし。

やども、びっくりいたし、怠け病《やまい》も消えてしまい、これからは、いっしょうけんめいに生まれる子を育てると申しますゆえ、どうか、どうか、お見逃し下さいますよう、おねがい申します。探さないで下さいまし。おねがい申します。これからはもう、決して、決して、悪い事はいたしません。おゆるし下さいまし。おゆるし下さいまし」

読み終えた手紙をつかんだおろくが、

「いまさら、何を……」

いいさして、心張棒を外しかけたが、何とおもったか舌打ちを洩らし、

「幸坊。余所《よそ》のおばちゃんが、此処まで送って来たのかえ？」

幸太郎が、うなずいた。

顔も着物も、汚れほうだいに汚れている。

何処かで、鶏《とり》が時をつくりはじめた。

桶屋の富蔵は、まだ目ざめていない。

「それ、父《ちゃん》のところへ行きな」

泪だらけの顔に笑いを浮かべながら、おろくが幸太郎の背中を押しやって、

「父《ちゃん》の蒲団へもぐり込んで行きな。びっくりするよう」

と、いった。

幸太郎が、はにかんだような薄笑いを浮かべつつ、寝苦しげに眠っている富蔵へ近寄って行った。

妙義《みょうぎ》の團右衛門《だんえもん》

いかにも、田舎から出て来た江戸見物の老爺《おやじ》と見えたのに、茶代をはらって立ちあがったとき、

「ちょいと、さわってごらん」

耳もとでささやいたかとおもったら、あっとおもう間もなく、その老爺の指先が着物の八《や》ツ口《くち》からすべり込んできて、

「あれ、くすぐったい……」

女が胸を押えたときには、老爺の手が素早く引き込められ、

「気が向いたら、神明様《しんめいさま》の前の弁多津《べんたつ》へおいで。五ツごろまで待っていますよ。わしの

名は吾作《ごさく》じゃ」

小声で言った老爺は、水茶屋の外へ出て行った。

茶屋女のお八重が、そっと、胸もとを探って見ると、まさに一両小判が二枚。当時の二両は庶民一家の暮しが三月《み》は楽に立つほどの金額であった。

「あれ、まあ……」

お八重は、目をまるくして、おもわず外へ飛び出し、女坂を下りて行く老爺の後姿を見送った。

老爺ながら肥《ふと》って血色のよい、六尺に近い大男なのだが、木綿の着物・羽織を身につけ、紺足袋《たび》に草履という姿《いでたち》なのだ。

女坂を下りながら、老爺は、あたかも、お八重が見送りに出たことを予期していたかのように振り向き、にっこりと笑って見せ、手を振った。

笑った口の歯が若者のように白く、日灼けした大きな顔を見て、

（まるで、布袋《ほてい》さまのような……）

と、お八重はおもった。

この愛宕権現《あたごごんげん》は、人も知る江戸四ケ寺の一つで、胸を突くような男坂の石段をのぼりつめた愛宕山上の境内へ立つと、

「見おろせば三条九陌《きゅうはく》の万戸千門《ばんこせんもん》は甍《いらか》をつらね、江戸湾の海水は渺焉《びょうえん》とひらけて千里の風光をたくわえ……」

と、物の本に記《しる》してあるように観光、参詣の人びとが絶え間もない。

この江戸名所の愛宕権現社に密集している水茶屋の女たちは、いずれも化粧をこらし、客を待つわけだが、裏へまわっての売春も、まことにさかんなのだ。

居付《いつき》の水茶屋も門前にはあるが、愛宕山の女坂をのぼりきったあたりのそれは、ほとんど葭簀《よしず》張りの小屋掛けであった。

日が暮れるまでの商売なのである。

(すこし泥くさいけれど、ほんに久しぶりの、いいお客……)

と、お八重は、これも愛想笑いで老爺にこたえた。

秋の日が、かたむきかけている。

老爺の姿は山腹を巻いている女坂を下って行き、見えなくなった。

(田舎の老爺にしては、気のきいた仕様《しよう》をするじゃあないか……)

それに、芝の神明宮・門前の料理屋〔弁多津〕を知っているなどとは、隅におけない。来るときまったわけでもない水茶屋の女に、金二両もあたえて「気が向いたら……」といった老爺ゆえ、この上、身をまかせたら、

(いくら、くれるだろう?)

お八重は、もう行く気になっている。

(それにしても、年を老《と》っているけれど、まるで相撲取りのように大きいじゃあないか。あんな大きいのに、のしかかられたら、私の細い躰《からだ》が粉々になってしまやしないかしら

……？）


何やら鼻息をあらげて、お八重は二枚の小判をつかみしめた。

一方、老爺は女坂を下り切って、総門の手前の大鳥居を潜《くぐ》った。

そのとき、老爺は、総門の方を見やって、おどろきとなつかしさが綯《な》い交《ま》ざった表情を浮かべた。

いましも、総門を入って来た年寄りは、背丈は高いが細身の躰で、これが鳥居の下に立ちどまった田舎老爺を見るや、

「おや、おや……」

目をみはって小走りに近寄り、

「お久しゅうございますなあ」

と、いった。

この年寄り、いまは火付盗賊改方の密偵となっている馬蕗《うまぶき》の利平治《りへいじ》である。

「まったくなあ……」

田舎老爺は、利平治の肩を抱くようにして、

「五年……いや、六年ぶりかのう」

「そうなりましょうかねえ」

「ともかくも、此処では、はなしもできぬ。お前、何ぞ他に用事があんなさるか？」

「いいえ、別に、通りかかったので愛宕さまへお詣《まい》りをとおもったもので……」

「それなら、此処から拝んでおきなされ。久しぶりじゃ。はなしがしたい」

「はい、はい」

「かまわぬかな？」

「かまいませんとも」

「わしはな、五ツどきまで躰があいているのじゃ」

「まだ、大分に間がございますね」

「だから、ゆっくりと酒をのんで、な……」

「はい、はい」

「ま、ついて来なされ」

大男の田舎老爺が、先に立って総門を出た。この田舎老爺、水茶屋の女には「吾作」などと、おもいつくままに名乗ったが、実は、

「妙義《みょうぎ》の團《だん》右衛《え》門《もん》」

といい、上信二州から越後へかけて、大仕掛けの盗みをはたらく盗賊の首領で、手下の盗賊は三、四十名にもおよぶはずだ。

一

俗間に「芝の神明宮」とよばれる飯倉神明宮《いいくらしんめいぐう》は、徳川将軍家の菩提所《ぼだいしょ》・三縁山増上寺《さんえんざんぞうじょうじ》の大門の外にあり、門前町の賑いは、浅草寺《せんそうじ》や深川の富岡八幡宮のそれにくらべて、

また別の趣きがある。

浅草や深川を下賤というのではないが、何とはなしに、軒をつらねる茶店や料理屋にも落ちつきがあって、その中の［弁多津］という料理屋は小体《こてい》な店構えだが、

「冬になると弁多津の、のっぺい汁《じる》が恋しくなる」

と、盗賊改方の長官・長谷川平蔵も年に何度かは足を運ぶらしい。

いろいろな野菜に、むしり蒟蒻《こんにゃく》、五分切りの葱《ねぎ》などを、たっぷりの出汁《だし》で煮た能平《のっぺい》汁は、どこの家でもつくれるものだが、さすがに、これを名物にするだけあって、

「ここの能平汁で酒をのむのは、まったく、たまらぬのう」

と、妙義の團右衛門が、馬蕗の利平治にいった。

弁多津の、二階の奥座敷へ利平治を案内した團右衛門は、

「ちょうどよかったわい、利平治どん。わしな、五ツまでは躰をもてあましているのじゃ」

「それは、それは……」

「五ツごろに、これが、な……」

と、團右衛門は小指を突き出して見て、

「これが此処へ、やって来るのじゃ」

こういって突き出した小指を、魚の切身を二つ合わせたような口の中へ入れ、しゃぶって見せた。

この老盗賊の色好みは、利平治もよくわきまえている。

ちょうど六十歳になった團右衛門には女房がいないかわりに、十何人もの子が諸方に散っているらしい。

「それではお頭、お邪魔ではございませんか？」

「だから、いま、いうたではないかよ。五ツまでは暇なのじゃ」

「へえ……」

酒肴《しゅこう》を運んであらわれた女中へ、團右衛門は、

「はなしがすんだら来ておくれ」

と、立ち去らせてから、

「のう、利平治どん……」

「へえ」

「いよいよ、お前さんから買い受けた一件で、お盗《つと》めをさせてもらうことにしてのう」

「と、申しますと……ええ、あれはたしか……」

はたと膝を打った利平治が、

「たしか、この近くの……そうそう浜松町三丁目の蠟燭問屋《ろうそくどんや》、三倉屋《みくらや》でございましたね」

にんまりとうなずいた團右衛門が、

「長らく手間暇をかけたが、ようやく、な……」

「それはどうも、おめでとう存じます」

馬蕗の利平治は、以前、盗賊の世界でいう〔嘗役《なめやく》〕をやっていた。

嘗役は、盗賊たちが押し込むのに適当な商家や民家を探しまわるのが役目で、つまり、自分の目で探り取ることを、

「嘗《な》めた……」

と、いうわけなのであろう。

ひとむかし前の、仕組が大きい盗賊たちは、かならず一人や二人の嘗役を抱えていたものだそうな。

以前の馬蕗の利平治は、高窓《たかまど》の久兵衛《きゅうべえ》という盗賊の首領に属していたが、高窓一味のみではなく、

「これぞ……」

と、目をつけた他の盗賊へ、自分が調べあげた押し込み先の絵図面や覚え書を売りわたすこともあった。

その一人が、妙義の團右衛門だったのである。

申すまでもなく利平治は、押し込み先で殺傷をはたらくような盗賊を相手にしたことは一度もなかった。

盗めの掟の三カ条を、どこまでもまもりぬく盗賊のみへ〔資料〕を売りわたしてきている。

ずっと前のことだが、利平治が病気になり、有馬《ありま》へ湯治《とうじ》に行ったとき、所属している高窓の久兵衛は金五十両の見舞い金を届けてよこしたが、妙義の團右衛門は、何と百両の大金を配下の者に届けさせた。

それほどに、利平治の調べは行きとどいていたのであろう。

長年にわたり、諸方を経巡《へめぐ》り歩いて来た利平治の長い顔は、日に灼けつくしている。顔も長ければ鼻も長い。顎が長くて躰が長い。黒くて長いゆえに「馬蕗《うまぶき》」の異名をとった。〔馬蕗〕とは、むかしの言葉で、牛蒡《ごぼう》の別名だという。

利平治が、

「江戸で嘗めた……」

一件を妙義の團右衛門に売ったのは、蠟燭問屋・三倉屋儀平のみである。

もともと、團右衛門は、

「将軍さまのお膝元で、お盗《つと》めをするのは恐れ多い」

などといっていたのだが、長谷川平蔵の就任以来、盗賊改方の活躍が評判となったのを聞いて、

「よし、よし。では、いずれそのうちに、わしが一つ、鬼の平蔵とやらに一泡ふかせてやるわい」

と、いい出し、馬蕗の利平治から三倉屋の覚え書と絵図面を金五十両で買ったのだ。

それから四年の歳月が経過しているが、この間に、利平治が長谷川平蔵に捕えられ、

密偵となっていることを、團右衛門は知るよしもない。

「ときに利平治どん。お前の頭《かしら》の高窓の久兵衛は亡くなったとなあ」

「さようで……」

「いまは、どうしているのじゃ？」

「へえ、まあ、相変らず……」

「嘗めていなさるのかね？」

「へえ……」

「そりゃあ、何よりじゃ。今度の盗めを終えたなら、新しいのを一つ二つ、買わせてもらおうかい」

「ありがとう存じます」

「ま、それはさておき、利平治どん……」

「へえ」

「おもいがけずに出会ったのがさいわい、一つ、たのまれてはくれぬかい」

「何を、で……？」

「何しろ、お膝元の江戸では初《はつ》の盗めじゃ。三倉屋へは引き込みも入れてあるし、盗人宿《ぬすっとやど》も二つほど設けたが、念には念を入れよということもあるしのう。それに……」

いいさして、ふっと黙り込んだ妙義の團右衛門のいかにも人の善さそうな笑顔が、別人のごとく引きしまって、

「むかしからの手下の者も、少のうなってなあ……」

「へえ……」

「どうも、その、いろいろと気にかかってならぬこともあり……」

「ほう……」

「せっかく、盗人の意気地を見せて、鬼の平蔵に一泡ふかせようというのに、いささかの失敗《しくじり》もあってはならぬ」

「もっとものことでございます」

「そこで利平治どん。江戸にはくわしいお前に、一つ助けてもらいたいのだが……」

「私に、で？」

「どうだね。たっぷりと、お礼はするよ」

「いえ、そんなことは、お頭……」

「助けてくれなさるかい？」

「さようで……」

「どうなのだよ？」

「へ……ようございます。できるかぎりのことはいたしましょう」

「そうかい、そうかい」

たちまちに笑《え》みくずれた妙義の團右衛門が、

「ありがたい。こうなったら千人力《せんにんりき》じゃ」

「とんでもない」

「ま、聞いておくれ。わしの手段《てだて》を一通り、はなしておこうわい」

二

その日の夜ふけに……。

清水門外の火盗改方役宅の、長谷川平蔵の居間へ通された馬蕗の利平治が、妙義の團右衛門に出会ったことを、包み隠さずに告げるや、

「よう、申してくれた」

平蔵が軽く頭を下げて、

「それで利平治……」

「はい？」

「お前は、妙義の團右衛門に義理立てをせぬでもよいのかえ？」

利平治は、一瞬の沈黙の後に、

「ございません」

低いが、きっぱりとした声でこたえた。

「あるなれば聞いておきたい。わしは、血も涙もない男ではないつもりじゃ」

「いいえ、ございません」

密偵は、かつては同じ盗賊仲間の探索にはたらく。つまり、

「仲間を売る……」

わけで、盗賊たちは、これを、

「狗《いぬ》」

と、蔑《さげす》んでよぶ。

密偵にも、いろいろな人間がいるけれども、すくなくとも長谷川平蔵を敬慕している者たちは、甘い汁を吸わんがために、はたらいているのではない。

それだけにまた、かつての仲間と平蔵との間にはさみ込まれ、苦悶する場合も少くはない。

古参の密偵・小房《こぶさ》の粂八《くめはち》でさえ、あの〔馴馬《なれうま》の三蔵《さんぞう》〕事件では非常な苦悩にさいなまれたものだ。

馬蕗の利平治にしても、以前、嘗役をしていたときのつきあいから、妙義の團右衛門に、好感を抱いていたことはいうをまたない。

大病を患った折に、何と百両もの大金を見舞いにくれたことに対しても、團右衛門の盗めの一件を平蔵に洩らしては、申しわけもないはずであった。

黙っていれば、だれにもわからぬ。

それにもかかわらず、團右衛門に協力をもとめられたとき、利平治は即座に引き受けた。

探索をすすめるのに、これほど絶好の条件はないからだ。

そうなると利平治は、何も知らずに自分を信じきっている妙義の團右衛門を、

「二重に裏切る……」

ことになる。

むろん、しないですむことなら、したくはないにちがいない。

しかし、馬蕗の利平治は、平蔵に捕えられたときから、

(わしは、もう、死んでいる。死んだも同じことよ)

おもいきわめていた。

それなら何故、生き長らえて密偵をつとめているのか……。

それは、ただもう、長官《おかしら》が一命をかけて役目にはたらく姿を、わが目わが身にたしかめているからといってよい。

(長谷川さまの御為になることなら、わしゃあ、地獄に落ちてもいい)

この覚悟が、しっかり据わっていたからこそ利平治には、いささかのためらいもなかったのではあるまいか。

その利平治の心底を、平蔵は、いまこそ知った。

「これ、たれかおらぬか」

手を打って、平蔵は侍女をよび、

「酒の仕度をいたせ」

と、命じた。

「では、お前が妙義一味へ加わって、いちいち、知らせてくれるのじゃな」

「はい」

「苦労なことよ」

　この一語に、平蔵の万感がこもっている。

　この一語を耳にしただけで、利平治は満足であった。

「長谷川さま。いま一つ、大事がございます」

「大事……？」

「この御役宅に、妙義一味の者が潜んでいるのでございますよ」

「まことか？」

「はい」

　先刻、弁多津の二階座敷で、妙義の團右衛門が、

「ところで利平治どん。わしはな、鬼の平蔵の鼻をあかしてやるつもりで、びっくりするようなことをしてあるのじゃ」

「へえ……そりゃ、何でございます？」

「盗賊改メの役宅にな、こっちの手の者を入れてあるのじゃ」

「へへえ……」

「どうじゃ、おどろいたか？」

「おどろきました」

嘘いつわりもなく利平治がこたえると、

「飯炊き男にな、一人、入れてあるのじゃわい」

「役宅の……？」

「うん、うん、うん」

「へへえ……」

「二年前からのう」

　二年前に役宅の下男として雇われている竹造《たけぞう》という三十男が、それであった。

　役宅内の長屋の一間に住み暮している利平治は竹造を見知っていたし、口をきくこともないではない。

　竹造は、神田の口入れ屋の仲介で雇い入れた男で、生まれは信州・上田の在だという。

　小柄だが、がっしりとした体軀のもちぬしで、無口で、よくはたらく。

　眉の濃い、鼻すじの通った、なかなかの男振りだし、下女たちから「竹さん、竹さん」と呼ばれ、木村忠吾にいわせると、

「竹の奴め、大もてだよ。どうも、おもしろくない……」

のだそうな。

「なるほど、これは、おもいきったことをしたものじゃ」

　さすがの平蔵も、呆れ顔で、

「妙義の團右衛門というやつ、隅におけぬわえ」

万一にも、妙義一味の押し込みの夜に、盗賊改方が出動ということになれば、これを飯炊きの竹造が先に知らせることになっている。

そのときは、塀を乗り越えてでも脱出するつもりなのであろうし、また、竹造にとってはわけもないことなのである。

「何せ、長谷川平蔵というのは油断も隙もならぬやつらしいからのう。つまり、地獄耳だというから、ひょんなことから、わしらの押し込みが洩れぬものでもない。こう考えて竹造を、な……」

と、團右衛門が利平治にいった。

まことに用意周到といわねばなるまい。

「ところで利平治。飯炊きの竹造は、お前と團右衛門の関わり合いを、まさかに知ってはいまいな？」

と、長谷川平蔵。

「そのことでございます。弁多津からの帰り途、じっくりと考えてみましたが、やはり、知らないのではございますまいか。私も、足を洗う前に竹造の顔を見たことはございませんし……私が妙義のお頭《かしら》と会うときは、ほとんど二人きりだったようにおもいますので」

「さようか。だが、お前の名を手下の者に洩らしてはおらぬか？」

「さあ、それがどうも……ですが、いまのところ、竹造の耳へは入っていないようにお

もわれますが……」

けれども、今後、竹造が役宅の外へ出て一味の者に連絡でもするとき、相手が、

「今度、馬蕗の利平治という人が仲間に加わったぜ」

などと告げたら、一大事である。

竹造は、利平治の名を知っている。

だが、利平治が嘗役をしていたことまでは知っていまい。

密偵たちについて、くわしい事情が役宅の奉公人の耳へ入ることを、当然ながら長谷川平蔵は、きびしく取り締まっていたからだ。

竹造は、種々の買物にも出るし、与力・同心たちにたのまれて、煙草や酒なども買いに出る。

おそらく、そうした折に連絡をつけるのではあるまいか。

「で、お前は何処に住んでいることになっているのじゃ？」

「妙義のお頭に尋かれましたので、とっさのことに……」

「何というた？」

「お熊婆さんの茶店に泊っていると申しました」

「でかした。それでよい」

そこへ、久栄《ひさえ》と侍女が酒肴の仕度をととのえてあらわれた。

「ま、一つ、のむがよい。明日は起きぬけに、お熊の茶店へ移ってもらわねばならぬ」

「はい」

「さ、のむがよい」

長官みずからの酌を受けて、馬蕗の利平治は奥歯をかみしめ、胸へ衝きあげてくるものに堪えた。

奥庭で一匹の虫の声が、いかにもか細げに聞こえている。

三

はなしを前へもどしたい。

つまり、芝の神明社・門前の料理屋〔弁多津〕から、馬蕗の利平治が立ち去ったときのことだ。

妙義の團右衛門は、利平治を店先まで送って出た。

「では、明後日《あさって》の暮れ六ツに、もう一度、此処へ来ておくれ」

「承知しました。それでは、これで……」

外へ出た利平治を、弁多津の裏口から出て待ちかまえていた中年の商人ふうの男が尾行しはじめた。

利平治は、これに、まったく気づかなかったのである。

この男は〔鳥居松《とりいまつ》の伝吉《でんきち》〕といい、妙義の團右衛門の古い配下であった。

團右衛門は利平治と語り合い、酒を酌みかわしているうち、

「ちょいと、ごめんよ」

と、小用《こよう》に立った。

すると、階下の小座敷に鳥居松の伝吉が来ていたのだ。

「信濃屋《しなのや》さんが見えておいでになります」

弁多津の女中が、小用をすまして出て来た團右衛門に告げ、小座敷へ案内をした。

「おお、伝吉か。早かったのう。今夜はお前とゆっくり、酒をのむつもりだったが、ちょいと、白粉《おしろい》の匂いを嗅ぎたくなってのう」

色好みのお頭に慣れている伝吉が、苦笑を浮かべ、

「さようで。それなら、これでごめんをこうむります」

「すまなんだのう」

「なあに……」

伝吉が腰をあげたとき、團右衛門の脳裡《のうり》に閃《ひらめ》いたものがある。

（あの利平治なら大丈夫とおもうが、念には念を入れろということもあるわい）

そこで、團右衛門は、伝吉に利平治を一味に引き入れたことを手早く語り、

「古いなじみゆえ、別に、うたがいをかけているのではねえが、お前、此処を出て行く利平治の後をつけてみてくれ。利平治が、本所の二ツ目橋を南へわたったところの、弥《み》勒寺《ろくじ》という寺の前にある茶店へ入って行くのを見とどけたなら、もう帰って来てくれていいのじゃ。もしも、あの男が、すこしでも、嘘をついていたとなると、わしも考え直

さにゃあなるまいからのう」

そこで鳥居松の伝吉は、利平治が出て行くのを待機していたのだ。

弁多津は、妙義一味の盗人宿ではないが、江戸へ遊びに出て来るたびに團右衛門がよく利用するので、すっかり顔なじみになっていた。

團右衛門は、上州・高崎城下の銅物《どうもの》商人・増田屋久兵衛《ますだやきゅうべえ》と名乗っている。

馬蕗の利平治は、かつて抜群の嘗役であったけれども、人を尾《つ》けたり、人から尾けられたりした経験は、ほとんどないといってよい。

それに、妙義の團右衛門が、ふと思いついて配下の者に自分を尾行させようなどとは、おもってもみなかった。

それでも充分に気をつけながら、清水門外の役宅へもどったわけだが、これを、鳥居松の伝吉にまんまと突きとめられてしまったのだ。

伝吉も、これにはおどろいた。

だが、妙義の團右衛門の驚愕は、さらに大きかった。

伝吉の報告を受けたとき、團右衛門は「弁多津」からも程近い芝の湊町《みなとちょう》の船宿・松島屋にいた。

この船宿こそ、妙義一味の盗人宿なのである。

この近くには漁師の家が多いし、釣舟を出す船宿が三、四軒あった。

その中の一つを、團右衛門は三年前に買い取ったのである。

弁多津へ来た茶屋女のお八重を、そのまま二階の奥座敷で座蒲団を枕に素早く抱き、またも金二両をあたえ、

「今夜は、ほんの小手しらべじゃ。二、三日うちに、また、愛宕《あたご》さまへ行くから、そのときにはゆっくりと、な」

こういって、お八重を帰してから船宿へもどり、伝吉の帰りを待っていた。

「何じゃと……では、あの、利平治が盗賊改メの役宅へ入って行ったというのか……」

「さようで。潜《くぐ》り門を開けた門番とも、こころやすそうにはなしていましたよ」

「ふうん……」

「これは、お頭。油断はなりません。私も濠端に出ている甘酒やで、甘酒をすすりながら、しばらく見張っておりましたが、到頭《とうとう》、出てめえりませんでしたよ」

「ふうん……」

「ともかく大変なことだ。盗賊改メの役宅には、竹造を入り込ませてありますからね」

「ふうむ……」

「お頭。もし、お頭……どうなすったんで？」

「ふうむ。馬蕗の利平治がのう」

「野郎に、この盗人宿のことも打ちあけなすったので？」

「うんにゃ、それはまだじゃ。明後日、弁多津へ来ることになっているから、そのとき、お前にも引き合わせ、この盗人宿へも連れて来るつもりでいたのじゃが……」

「それなら、まあ、いまのところは……」

「ふうむ……」

妙義の團右衛門は、唸りつづけている。

馬蕗の利平治を尾行させたのは、

「お前、いま、どこに住んでいるのじゃ？」

と、自分が尋ねたとき、利平治が一瞬ためらったのちに、弥勒寺前の茶店の厄介になっているとこたえたのが、微かに團右衛門の胸の底へ引っかかっていたのやも知れぬ。

それにしても、だ。

まさかに利平治が、盗賊改方の役宅へもどって行こうとは、團右衛門の想像に絶したことであった。

「ようも、ようも……利平治め。ようも、わしを謀《たばか》りおったな」

「野郎は、密偵《いぬ》になったのでござんしょうかね」

「ふうむ……」

血がのぼって真っ赤になっていた團右衛門の布袋顔《ほていがお》が、激怒の極に達して蒼ざめてきた。

大きな両眼が爛々《らんらん》と光り、鼻息が鞴《ふいご》のように鳴り、手にした金火箸《かなひばし》を二つに折り曲げてしまった。

その物凄さに、鳥居松の伝吉は息をのんだが、

「そ、それで、お頭。どうなさるので？」

ぐんにゃりと折れ曲がった金火箸を投げ捨てた團右衛門が、

「ふうむ……」

「い、いや、仕方もねえわい」

「え……？」

「引きあげじゃ。江戸での盗《つと》めは、あきらめるのじゃ」

「もったいねえことだが……」

「そのかわり……そのかわり畜生め。利平治と鬼の平蔵には、目に物を見せてやるわい」

四

翌日は、長谷川平蔵も妙義の團右衛門も、それぞれに配下の者と入念な打ち合わせを遂げ、目的は異なるが、たがいに準備をすすめたのであろう。

平蔵は、はじめ、馬蕗の利平治と共に、お熊の茶店へおもむくつもりであったが、早朝に目ざめると、折しも当直で役宅にいた同心・松永弥四郎《まつながやしろう》を呼び、事情の一部を語った上で、利平治より先に、お熊の茶店へ出発せしめた。

例によって松永同心は、托鉢僧《たくはつそう》の変装である。

しばらくして利平治が、役宅を出て行った。

平蔵が、出勤して来た筆頭与力の佐嶋忠介を居間へまねき、昨夜の利平治の報告をすべて告げたのは、その後のことであった。

「あの飯炊きの竹造が、妙義一味の……」

さすがの佐嶋も、二の句がつげぬほどにおどろいた。

「おもえば、かようなことがあっても、ふしぎはないはず。そうはおもわぬか」

「なれど、あまりにも大胆な……」

「妙義の團右衛門というやつ、ちょいとおもしろい男ではないか」

「竹造を、どのように……?」

「放っておくがよい。さとられてはならぬ。そうして、こちらが充分に気をつけておればよい」

「はあ……」

「ゆえに、他の与力・同心たちのすべてに、この事を知らせてはなるまい。竹造にさとられることなく、却《かえ》って竹造を、われらがうまく利用せねばならぬ」

「はい」

「このためには、おぬしと、いま此処《いま》で、くわしく打ち合わせておかねばなるまい」

二人の談合は二刻(四時間)におよんだ。

それからも平蔵は、終日、居間へ引きこもったきりであった。

昼すぎになって、佐嶋忠介は単身、何処かへ出て行ったようだが、日暮れまでには役

宅へもどり、平蔵の居間で一刻ほどをすごしてから組屋敷へ帰って行った。

入れちがいに松永弥四郎がもどり、平蔵に何やら報告をし、これもまた組屋敷へ帰った。

翌日。

昼すぎになってから、長谷川平蔵は役宅を出た。

「京極備前守様、御屋敷へまいる」

このように言い置いて出ただけに、今日の平蔵は紋つきの羽織に袴をつけ、塗笠をかぶっている。

この日、佐嶋忠介は出勤していない。

「めずらしいことがあるものだな」

と、木村忠吾がくびをひねって、

「風邪でも引かれたのかな？」

「いや、そんな様子もありませんでしたよ」

同心・細川峯太郎が、そうこたえた。

密かに組屋敷を出た佐嶋は、七ツ（午後四時）前に、愛宕《あたご》権現社、門前の茶店で、平蔵と待ち合わせたのである。

佐嶋も、羽織・袴をつけ、塗笠をかぶっていた。

待ち合わせた二人は、すぐさま、芝・神明社門前の料理屋〔弁多津〕へ向った。

「これは、まあ、お久しぶりでございます」

と、弁多津の主人が、年に二、三度あらわれる平蔵の顔を見おぼえていて、

「もう、そろそろ、お運び下さるのではないかと、店の者ともはなし合っておりましたのでございます」

といったが、むろん、平蔵の正体を知ってはいない。

平蔵は弁多津へ来て、自分の役目や名を明かしたことはない。その必要もなかったからである。

佐嶋も、二度ほど、長官の供をして弁多津へ来たことがある。

この店へ来るときは、偶然ながら羽織・袴のことが多い。浪人姿の市中巡回の折には立ち寄ったことがないので、今日も平蔵は、しかるべき姿で弁多津へあらわれたのだ。

二人は、中庭にのぞんだ階下の奥座敷へ通された。

この日、馬踏の利平治は、妙義の團右衛門に再会を約し、暮れ六ツごろ、弁多津へあらわれることになっている。

それまでには、まだ一刻半ほどの間《あいだ》があったけれども、妙義の團右衛門と鳥居松の伝吉は、すでに弁多津の二階座敷で酒をのんでいた。

たとえば、團右衛門が廊下で、長谷川平蔵を見かけたとしても、この中年の穏やかそうな侍が、今を時めく火盗改方の長官だとは夢にも思うまい。

弁多津の主人や女中にしても同じことだ。

写真も、新聞もテレビもない、現代から約二百年に近い昔の時代のことなのである。

仕事にせよ、自分の眼でたしかめなくてはならぬ世の中であった。

ただし、平蔵が團右衛門を見れば、馬蕗の利平治から、この老盗賊の特異な風貌を耳にしていたことゆえ、すぐにそれと気づいたであろう。

やがて……。

利平治が弁多津へあらわれ、二階へ案内されて行った。

中庭に面した障子を細めに開けると、向うの廊下を二階へあがって行く利平治の横顔が掛け行燈《あんどん》のあかりで、はっきりと見えた。

「團右衛門は、すでに、来ていたようでございますな」

「うむ」

利平治は、二階座敷で團右衛門から伝吉に引き合わされ、半刻ほどしてから、弁多津を去った。

これより先、佐嶋忠介が弁多津を出ている。

平蔵は、まだ残って、酒盃をはなさなかった。

一昨日と同じように、今夜も、團右衛門は伝吉と共に利平治を見送りに出た。

その横顔を、平蔵は障子の透き間から、しかと見とどけた。

利平治が去ると、團右衛門と伝吉は二階へあがって行った。

團右衛門も、まさかに平蔵みずから、二刻も前に弁多津へあらわれていようとはおも

わなかった。

利平治が盗賊改方の密偵ならば、与力なり同心が密かに弁多津の近くへ張り込んでいて、自分と伝吉が出て来るところを待ちかまえ、後を尾けて来るやも知れぬということは、團右衛門もわきまえていた。

ゆえに、五人の配下を弁多津のまわりの茶店などに入れておき、警戒の目をゆるめてはいない。

神明社の門前町は、夜に入っても灯火が明るく、茶店も五ツ（午後八時）までは店を閉めぬ。

弁多津も繁昌している店だから、客の出入りがはげしい。

平蔵は、弁多津から町駕籠《かご》をよばせ、これに乗って真直《まっすぐ》に役宅へ帰った。

佐嶋与力は半刻ほど遅れて、これも町駕籠で役宅へもどって来た。

「どうであった？」

「それが、どうも、弁多津のまわりには妙義一味の見張りが出ていたようにおもわれます」

「さようか……」

「利平治の後を尾けて行った者が、一人おりました」

「ほう。われらは大丈夫であろうな」

「はい」

「して、五郎蔵と、おまさは？」

「何処かにいたのでございましょうが、私の目にはとまりませぬでした」

「さすがにのう」

あの〔鬼火〕の一件で、駒込の権兵衛《ごんべえ》酒屋に泊り込んでいた大滝《おおたき》の五郎蔵《ごろぞう》・おまさの夫婦密偵は、つい先ごろ、目ざす永井弥一郎が捕えられたので、いまは、義父の舟形《ふながた》の宗平《そうへい》が留守をまもっている本所相生《ほんじょあいおい》町の家へ帰っている。

昨日、佐嶋忠介が単身で役宅を出て行ったのは、本所の家で骨やすめをしている五郎蔵夫婦を訪ね、今日の見張りと尾行をたのんだのであった。

その方法は、

「すべて、お前たちにまかす」

そういって、佐嶋は帰って来た。

平蔵や佐嶋の目にはふれなくとも、五郎蔵とおまさは、きっと何処からか弁多津を見張っていたにちがいない。

この夫婦密偵が役宅へあらわれたのは、真夜中になってからで、平蔵も佐嶋も二人を待ちかねていた。

「どうであった？」

居間の次の間へ入って来た五郎蔵とおまさへ、平蔵と佐嶋が身を乗り出すようにして、

「気取《けど》られなんだか？」

「大丈夫でございます」

うなずく五郎蔵に、つづいて、おまさが、

「弁多津を出て行く妙義の團右衛門の後を尾け、盗人宿らしいのを突きとめましてございます」

「そうか。でかしたぞ」

團右衛門の人相については、佐嶋から、くわしく聞き取っていただけに、弁多津から伝吉と共に外へ出て来た團右衛門を見誤ることもなかった。

「向うも、こちらに用心をして、人数を出していたようだが……」

と、佐嶋。

「そのようでございましたが、私どもは決して気づかれてはおりません」

「で、その盗人宿とは？」

「芝の湊《みなと》町にある松島屋という船宿でございます」

「ふうむ、湊町へ、な……」

「さようで」

深くうなずいた長谷川平蔵が、佐嶋忠介へ、

「おもいのほかに、うまく運んだわ」

「はい」

いかに大盗賊を自負している妙義の團右衛門も、不案内な江戸市中で、盗賊改方の密

偵を相手にしては、かなうはずがない。

しかも、大滝の五郎蔵は、かつて盗賊の頭だったほどの男だし、おまさも女賊《おんなぞく》として、数々の修羅場を潜ってきている。

五郎蔵やおまさから看れば、地方の町々を荒しまわっていた妙義一味なぞは、いかにも、

「泥くさい……」

のであろう。

平蔵は、佐嶋と五郎蔵夫婦を相手に尚も打ち合わせをつづけ、この夜、五郎蔵夫婦は役宅へ泊った。

翌朝。

お熊の茶店に泊り込んでいた松永弥四郎によって、利平治の報告が平蔵の耳へとどけられた。

昨夜。妙義の團右衛門は、盗人宿の所在を打ちあけず、そのかわりに、

「三倉屋の押し込みは、十日後の夜じゃ」

利平治に告げ、こちらから連絡《つなぎ》があるまで、お熊の茶店で待機するようにといったそうな。

「十日後か……」

長谷川平蔵も、まさかに妙義の團右衛門が、三倉屋への押し込みを、いさぎよく放棄

したとはおもっていない。

「利平治は昨夜、後を尾けられていたことを知っていたようか？」

「いえ、そのようなことは申しておりませなんだ」

と、松永同心。

「さようか」

「一言も、申してはおりませぬ」

「ふうむ……」

「利平治では、その辺りのところが、むりでございます」

「それは、そうじゃな」

奥庭で、しきりに頰白《ほおじろ》が鳴いている。

「これよりは、よほどに気をつけぬと……」

呟くようにいいさした平蔵は、佐嶋と松永を前に、半眼となって沈思しはじめた。

五郎蔵夫婦は、朝も暗いうちに役宅から去っていた。

飯炊きの竹造は、むっつりとした顔つきで、大台所の外へ出て来て、一所懸命に薪《まき》を割っている。

五

それから、六日が過ぎた。

妙義一味の押し込みまでは、あと四日を残すのみとなったわけである。

この間に、長谷川平蔵と妙義の團右衛門は、それぞれに手配りをおこないつつあった。

團右衛門は、依然、湊町の船宿へとどまっている。

このほかに設けてあった二カ所の盗人宿は、取り払ってしまい、三倉屋の押し込みに江戸へ集結した二十八名の配下のうち、二十名は、

「今度の押し込みについては、盗賊改方に勘づかれたらしいからやめにする。つぎのお盗めは、かねてから引き込みを入れてある信濃の善光寺町の呉服問屋・池田屋《いけだや》八郎次《はちろうじ》方ゆえ、そのつもりで、こちらの指図が行くまで、それぞれ定めておいた場所で待っていてくれ」

と、團右衛門が指令を下し、すでに江戸から立ち退かせてしまった。

だが、三倉屋方へ引き込みとして入れてある女賊のお兼《かね》には、このことを告げていない。

お兼は、三倉屋の奥向きの女中として、主人夫婦にも息子夫婦にも気に入られている。

この、お兼は、盗賊改方の役宅へ入り込んでいる竹造の女房なのだ。

馬蕗の利平治が盗賊改方の密偵らしいと知ったからには、三倉屋へも警戒の目が光っているにちがいない。

おそらく、盗賊改方は三倉屋の近くに見張り所を設け、妙義一味の動向を見とどけようとしているであろう。

そして、お兼との連絡《つなぎ》にあらわれる一味の者も尾行されていると看てよい。

事実、そのとおりであった。

さすがの長谷川平蔵も、妙義の團右衛門が利平治の正体に気づいたとはおもいおよばなかった。

團右衛門は、平蔵に勘づかれてはならぬと考え、わざと湊町の船宿のみは残しておき、いまは、ここへ馬蹄の利平治をよび寄せ、三倉屋から金を奪って後の逃走計画を、そ知らぬ顔で打ちあけたりしている。

まことに大胆不敵といわねばなるまい。

このため、利平治は、
お兼との連絡も一日置きにおこなわれ、その報告が船宿へとどく。

(これなら大丈夫。わしは怪しまれてはいない)

自信にあふれていた。

利平治は、あれから一度も役宅へあらわれず、お熊の茶店へ泊りつづけている。

托鉢僧に変装をした松永同心をはじめ、盗賊改方の同心や密偵たちが利平治との連絡にあたっているが、これには細心の注意が必要だというので、お熊の茶店の隣りの〔植《うえ》半《はん》〕という大きな植木屋を中継ぎの場所にしてあった。

一方、妙義の團右衛門は、この間にも、愛宕権現社の、水茶屋のお八重を誘い出し、船宿の松島屋へ連れ込んだり、ときには、上野の不忍池《しのばずのいけ》の出合い茶屋で、

「ああ、もう、こんなことをしていたら、私ぁ、死んでしまいますよう」

と、お八重が音《ね》をあげるほど、狂態のかぎりをつくしているのだ。

いうまでもなく、團右衛門には、盗賊改方の尾行がついている。

湊町の船宿・松島屋と道をへだてた筋向いの釣道具屋〔網半《あみはん》〕の二階座敷に見張り所を設け、松島屋の出入りを監視していた。

つまり、いま、江戸に残った妙義一味の盗賊は、松島屋の亭主・船頭などをふくめて八名ということだ。

團右衛門は、三倉屋押し込みの当夜、馬藷の利平治を松島屋へ呼び寄せ、これを殺害した後、船を江戸湾へ漕ぎ出し、海上を逃げるつもりなのだ。

いまは、盗賊改方に飯炊きとして入り込ませてある竹造によって、

「たしかに、利平治という老爺《おやじ》がいぬになっていますよ」

との報告がもたらされていたのである。

その竹造と、三倉屋へ引き込みに入っているお兼については、

「まあ、竹造とお兼の夫婦には、目をつぶってもらうことじゃ。あの二人が捕まったところで、わしらには痛くも痒くもないわい」

と、妙義の團右衛門が伝吉にいった。

竹造夫婦は、江戸以外の、妙義一味の盗人宿を知っていないし、仲間の顔も連絡《つなぎ》にあらわれる者をふくめて四、五人ほどしか見知っていない。

この夫婦は、今度の江戸での盗めのために雇った、いわゆる〔ながればたらき〕の盗賊なのである。

しかし、することはしっかりしたもので、なればこそ、諸方のお頭たちの評判もよく、つぎつぎに、

「今度は一つ《つと》、たのまれてくれ」

と、口がかかるのであろう。

さて……。

こうして、押し込みの当夜となる。

申すまでもなく盗賊改方は、厳重な捕物陣で三倉屋の周囲をかため、妙義一味があらわれるのを待ち構えることになろう。

ところが、夜が明けて尚、三倉屋には何の異変も起らぬ。

「盗賊改メのやつども、狐《きつね》につままれたような顔つきになるだろうな」

と、團右衛門は、悦に入っている。

そうなると盗賊改方は、おそらく湊町の船宿へ、

「踏み込んで来るにちがいないが、この家《や》の中に残っているものは、利平治の死骸ばかりじゃ。さぞかし鬼の平蔵め、目を白黒させるだろうなぁ」

團右衛門は、自分の計画が、うまく運ぶように利平治を操っており、

「少いが、取っておくがいい」

金二十両を手助けの前金としてわたしたそうな。

馬蕗の利平治は松永同心を通じて、長谷川平蔵へ、つぎのように知らせてよこした。

「妙義の團右衛門は、まだ、湊町の船宿のほかの盗人宿を私には打ちあけませぬ。押し込みの当夜、私は湊町から團右衛門と共に三倉屋へ向うことになっております。これはきっと、人目に立つのを恐れて、当夜は二カ所か、または三カ所から、時刻を定めて三倉屋へ向うのでございましょう」

その他、江戸脱出の手段《てだて》についても、利平治は報告をしてよこしたので、

「これなら、もはや逃《の》がしはせぬ」

と、与力の佐嶋忠介が、

「なれば一層、気をくばって手ぬかりのないように」

同心・密偵たちへ申しわたした。

妙義の團右衛門も、鳥居松の伝吉へ、

「いいか、わしらも見張られていることを忘れるなよ。それでないと、いざというときに逃げ損うぞ。何しろ、名うての盗賊改メの鼻をあかすのだから油断はならねえ。だが、おもしろくなってきたのう。鬼の平蔵と、こんな大相撲を取れるのは、天下《てんが》に二人とはおるまいわい」

「お頭にあっては、かないませんねえ。それにしても、もうそろそろ、茶屋女から手をおはなしなさらねえと……」

「わかっているともよ。だがのう伝吉。あのお八重な。見かけによらず味がいい。女を食い飽きたわしだが、江戸の女の歯ごたえも悪くないわい」

盗賊改方の見張り所が、目の前の釣道具屋の二階にあると気づいてはいないが、さすがにう
「どこからか、わしを……いや、この船宿を見張っているにちがいないが、さすがにうめえものじゃ。姿もかたちも見せぬわい」

「ですが、こうやっていても大丈夫なので?」

「なあに、押し込みの夜、わしらが三倉屋の前へあつまったところを一網打尽《いちもうだじん》とやらにするつもりじゃわい。あいつらの手口は、ようわかっているとも」

「ねえ、お頭。この船宿からは目と鼻の先の、浜松町の三倉屋へ押し込むからには、船なぞを使うとは、おもってもいますまい」

「そのことよ、そのことよ。わしらは夜更けの闇にまぎれ、船で敵の裏を掻くのじゃ。さて、ところで、最後に今日は、お八重の乳房《ちち》を舐《ねぶ》ってくるかのう」

「また、おいでなさるので?」

「今日が最後じゃ。盗賊改メが、わしの後を尾けているとすれば、ようつづくものと、あきれていようわい」

團右衛門の、あまりの大胆さに、鳥居松の伝吉は不安を隠しきれぬようであった。

たしかに盗賊改方は、妙義の團右衛門の尾行を忘れていない。

けれども、團右衛門の目にはとまらなかった。

目にとまりそうなときは、尾行をあきらめるように、長谷川平蔵から指令が出ている。何といっても大滝の五郎蔵夫婦や松永弥四郎など、熟練の手をそろえていたから、その点、いささかの隙もなかった。

六

妙義の團右衛門一味の、三倉屋押し込みの当日が来た。

この日も、火付盗賊改方の役宅においては、別に変ったところもないように見える。市中見廻りの与力や同心は、平常と同じように出て行ったし、非番の者は組屋敷にいて休養をとってい、また、夕刻に役宅へもどって来た者たちは報告を終えて組屋敷へ帰るというわけだ。

長谷川平蔵も、朝からのんびりと居間に寝そべっているらしい。

午後になって……。

飯炊きの竹造が、

「ちょいと、三河町の酒屋へ行ってめえります」

と、門番へことわり、外へ出て行った。

これは、おそらく、何処かで妙義一味の連絡《つなぎ》の者と会い、今日の役宅に異状がないことを告げに出たものであろう。

そして尚、夜が更けて、にわかに緊急出動ということになれば、そのときこそ竹造は

塀を乗り越えて脱出し、急を妙義一味に知らせることになっていた。

すでに平蔵は、竹造の正体を知っている。知っていて知らぬ顔をしている。

ゆえに、この夜は四谷の組屋敷から捕物陣を出発せしめることにしてあった。

その同勢は三十名（密偵は別）で、このうちの十五名は市中見廻りを終えた後、組屋敷へ帰る様子を見せて役宅を出るが、四手に別れて浜松町の三倉屋儀平方の周辺へ潜み、盗賊どもの出現を待ち構える。

一方、組屋敷で休養している十五名のものへは、まだ今夜の捕物について耳に入れていないのである。

このほうは、役宅から組屋敷へ帰った佐嶋忠介が急を告げ、みずから指揮を取って、組屋敷から浜松町へ向うことになった。

その手配りには、一点の遺漏《いろう》もないといってよい。

すべては、飯炊きの竹造に、さとられまいためであった。

妙義一味の押し込みの時刻は、九ツ半（翌日の午前一時）だと、馬蕗の利平治が告げてよこした。

利平治は今日の七ツ（午後四時）に、お熊の茶店を出て、湊町の船宿・松島屋へおもむくことになっているそうな。

薄暗い居間に寝そべって、亡父遺愛の銀煙管《ぎんぎせる》で煙草をたのしんでいた長谷川平蔵が、ふと顔をあげた。

奥庭の土を掃くような雨の音であった。

初時雨《はつしぐれ》である。

平蔵は、手を打って侍女をよび、

「酒を……」

と、命じ、

「溜部屋《たまりべや》に、沢田小平次《さわだこへいじ》がいるはずじゃ。酒の相手をいたせと申しつたえるがよい」

「かしこまりましてございます」

沢田があらわれて、平蔵の酒の相手をするうち、いつしか時雨も熄《や》んだようだ。

七ツになった。

馬eの利平治が、お熊の茶店を出た。

やがて、市中見廻りの人びとが役宅へもどり、佐嶋忠介へ異状のないことを報告した。

飯炊きの竹造も、何くわぬ顔ですでに役宅へもどり、大台所ではたらきはじめたようだ。

沢田は、まだ長官の居間から出て来ない。

今日の沢田は宿直の番に当っており、食事の仕度をするので、そのことは大台所へ通じてもいる。

暮れ六ツになって、佐嶋忠介が平蔵へ挨拶をし、組屋敷へ帰って行った。

これに前後して、市中見廻りからもどって来た人びとも組屋敷へ帰りはじめる。

夜に入っても、沢田小平次は平蔵の相手をつづけていた。

同じ宿直の同心・木村忠吾が、細川峯太郎へ、

「どうも、おもしろくないな」

「何故です？」

「沢田さんだよ」

「沢田さんが、どうかしましたか？」

「先刻から、御頭の御相手をしている」

「そうらしいですな。それが、どうかしましたか？」

「酒のお相手だよ、おい」

「はい」

「うまくやっていやぁがる」

と、忠吾は哀しげに舌打ちをして、

「以前は、御頭が、忠吾《うさぎ》々々とよんで下され、よく、酒の相手をさせて下されたものだが、近ごろ、とんとおよびではない」

「ははあ……」

「どうも、いささか、近ごろの御頭は沢田さんや松永弥四郎ばかり贔屓《ひいき》になさるようだ。そうはおもわぬか、おい」

「なあんだ。木村さん、やきもちを焼いている」

「だまれ、そ、そんな、おれではないぞ」

「何も、そんなに睨《にら》まずともよいではありませんか」

「ばか」

「どうせ、ばかですよ」

「あっちへ行け」

「いやです」

などと口争いをするうちに、大台所から食事が運ばれてくる。

沢田小平次は、まだ、溜部屋へもどって来ない。

「あいつ、飯の御相手までも……」

と、くやしそうに呟き、忠吾は豆腐と油揚げを刻み込んだ汁へ箸をつけ、

「おれには、酒がつかない」

と、こぼした。

今夜の役宅で宿直をしている同心たちも、妙義一味の捕物計画を知ってはいないのである。

そのころ、馬蕗の利平治は、妙義一味の盗人宿へ到着していたにちがいない。

四ツ（午後十時）になっても、まだ、沢田小平次はもどらぬ。

溜部屋に、八人の当直の同心が寝床を敷き、交替で眠ることになっているのだが、

「おい、細川。まだ、もどって来ぬではないか……」

木村忠吾は気が気でないらしい。

細川峯太郎は、もう鼾《いびき》をかいている。

「ちえっ。大鼾をかきやぁがる。もらったばかりの女房が、よくまあ、我慢をしているものだ」

いまいましげに、忠吾が呟いたとき、溜部屋へ音もなく沢田小平次がもどって来て、忠吾の枕元へ屈み込んだ。

「おい、木村……これ、起きぬか」

「酒臭いですなあ」

「大きな声を出すな」

「ずいぶん、長い御相手でしたね」

「よいか、木村。これから、飯炊きの竹造を引っ捕える。手つだってくれ」

「えっ……」

びっくりした忠吾が、半身を起し、

「あの飯炊きが、どうしたのです？」

「盗賊の片割れなのだ」

「何と……」

「しずかに……よいか、しずかに、皆《みな》を起してくれ。竹造を逃してはならぬ」

七

芝の湊町の船宿・松島屋へ、暮れ六ツごろに馬蕗の利平治が入って行った姿を、筋向いの釣道具屋の二階の見張り所にいた同心・山口平吉と、密偵の駒造《こまぞう》・鶴次郎《つるじろう》の二人が、たしかに見とどけた。

ところが夜が更《ふ》けても、松島屋から妙義の團右衛門一行が、あらわれる気配はない。

見張り所の三人は、此処から浜松町の三倉屋へ押し込むのに、まさか船を使うとは考えてもいなかった。

押し込みの時刻の半刻(一時間)前になっても、盗賊どもがあらわれる様子はなかった。

「おれたちが気づかぬうちに、他の場所へ移ったのだろうか……?」

と、山口同心。

「いや、そんなはずはありませんよ。今日は、團右衛門をはじめ、あそこの者は外へ出ていません。出ていりゃあ、私どもが尾けています」

「いや、お前たちが見逃したといっているのではないが……それにしても、変だとはおもわぬか?」

「でも旦那。松島屋の二階座敷には、まだ、灯りがついていますぜ」

「ふうむ……」

しばらく考えていた山口が、

「ともかく、この様子を、佐嶋様へおつたえして来てくれ。もう、すでに、三倉屋の見張り所へ来ておいでになるはずだ」

「合点です」

と、鶴次郎が、すぐに飛び出して行った。

そのころ……。

浜松町三丁目の蠟燭《ろうそく》問屋・三倉屋儀平方の、これも筋向いにある袋物師・辰兵衛《たつべえ》方の二階に設けた見張り所には、佐嶋与力も、長谷川平蔵も到着していた。

此処から湊町の盗人宿までは、それこそ、目と鼻の先なのである。

それゆえ、鶴次郎からの報告を受けたときも、平蔵は、

「さもあろう」

別に、あわてなかった。

(はて。妙な……?)

平蔵が胸さわぎをおぼえたのは、押し込みの時刻がすぎてからである。

盗賊一味は、影も形も見せぬ。

大滝の五郎蔵以下、十余人の密偵たちが諸方に散り、潜み隠れていたけれども、

「怪しい人影の一つとて見えない」

との報告が入った。

馬蹄の利平治も、湊町の盗人宿へ入ったきり、出て来ないという。

（これは、おかしい）

八ツ（午前二時）すこし前になって、長谷川平蔵は、

「よし。わしが、その船宿へ行ってみよう」

たまりかねて、沢田小平次と木村忠吾のほかに二名の同心を従え、裏口から袋物師の家を出て、湊町へ向った。

見張り所から山口平吉と二人の密偵をよび出し、まだ灯りがついている松島屋へ接近し、様子を窺《うかが》ったが、

「どうも、人がいるような様子ではございません」

「船頭も奉公人も、いねえようなんでございます」

と、いう。

平蔵は、はっとした。

「よし。かまわぬ。踏み込め」

みずから突棒《つくぼう》を摑み、平蔵が先頭に立ち、松島屋の表と裏から、戸を打ち破って踏み込んだ。

「蛻《もぬ》けの殼《から》……」

であった。

そして……。

大蠟燭が十本も灯《とも》った明るい階下の奥座敷で、馬蕗の利平治が扼殺《やくさつ》されて息絶えていた。

このときばかりは長谷川平蔵が、声も出ず、茫然と立ちつくしたものである。

共に踏み込んだ同心・密偵たちも、顔を見合わせるばかりであった。

妙義の團右衛門と、その配下たちは、利平治を殺害し、地下蔵《ちかぐら》に設けた通路から脱け出し、江戸湾へそそぐ新堀川《しんぼりかわ》に架《か》かっている金杉橋《かなすぎばし》の下に舫《もや》っておいた二つの舟に乗り、海上へ逃げたのだ。

「も、申しわけもございません。私の、手ぬかりでございました」

山口同心が、その場へひれ伏《ふ》した。

駒造も鶴次郎も、頭を抱えている。

長谷川平蔵は、仰向けに倒れている馬蕗の利平治を抱き起し、その死顔へ、胸の内でよびかけた。

「利平治、おれとしたことが、何というざまだ。ゆるせ。ゆるしてくれい」

この事件は、長谷川平蔵一代の失敗《しくじり》といってよい。

飯炊きの竹造と、三倉屋へ引き込みに入っていたお兼を捕えることはできたが、この盗賊夫婦は、妙義一味の江戸における盗人宿は知っていても、他国へ逃げた妙義の團右

衛門については、

「何も存じませぬ」

なのである。

平蔵は、若年寄の京極備前守へ進退うかがいを出したほどだ。

むろん、これは受理されなかった。

翌年の四月の中旬《なかごろ》のことだが、妙義の團右衛門は、信濃・善光寺町の呉服問屋・池田屋へ押し込み、千数百両を強奪し、みごとに逃走した。

そして、大胆不敵な團右衛門は、五月の末に江戸へ姿をあらわした。

浪人くずれの配下の盗賊・沼田大七《ぬまただいしち》と二人だけで江戸へ入って来たのだ。

團右衛門は去年の田舎老爺の風体《ふうてい》ではなく、沼田同様、大小の刀を腰に帯し、羽織・袴をつけた侍姿となり、日本橋・室町の旅宿へ泊った。

「どうじゃい。今度も一つ、何ぞ盗賊改メに、いたずらを仕掛けてやろうかい」

などと、團右衛門の鼻息は、すこぶる荒い。

しかし、今度は、それが目的ではない。

愛宕権現の水茶屋の女、お八重の肌身が、どうしても忘れられず、團右衛門の表現によれば、

「舐《ねぶ》りに来た……」

のである。

店へ入って来て、塗笠をぬいだときの團右衛門を見て、

「あれ、まあ……」

お八重は瞠目《どうもく》した。

「久しいのう」

團右衛門は、いきなり、金五両を、お八重の袂へ落し込み、

「池《いけ》ノ端《はた》の仲町《なかちょう》に、芳野《よしの》という出合い茶屋がある。そこへ、来ておくれ」

こういって、立ち去った。

お八重が、その日の夕暮れに〔芳野〕へあらわれたのはいうまでもない。

沼田大七も別の女をあてがわれ、二組の男女は、翌日の昼すぎまで〔芳野〕に居つづけた。

昼すぎに、再会を約して二人の女は町駕籠で帰り、その後で團右衛門と沼田は酒を酌みかわし、しばらく昼寝をし、夕闇が濃くなってから、

「そろそろ、宿へもどろうかのう」

出合い茶屋を出て、細路を北へ抜けると、そこは不忍池のほとりである。

新緑の上野山内が夕闇にけむって、池の面へ吹き抜けて来る初夏の微風のこころよさが何ともいえぬ。

「ああ、よい心地じゃのう」

侍姿の團右衛門が、ゆったりと不忍池のほとりの道へ出て、脂切《あぶらぎ》った顔を掌《て》で撫でながら、

「おい、沼田よ」

「何です？」

「お前の相手の女は、どうじゃった？」

「う、ふふ……」

「妙な笑い方をするのう。さては、いろいろと、おもしろかったのじゃな？」

「いや、お頭の相手の女、あのよがり声は、凄まじいものですな」

「それがいいのじゃ。それがたまらぬのじゃわい」

二人とも大満悦で、ゆったりと歩を運ぶ前へ、いつの間にあらわれたのか、着ながしで、塗笠をかぶった浪人がひとり。

「妙義の團右衛門。おもいのほかに、早くあらわれたな」

「何じゃと……？」

「愛宕権現の水茶屋の女を、わしの密偵《てのもの》が見張っていたのを知らぬとは、いささか江戸の盗賊改メを嘗めすぎたようだの」

「だ、だれだ？」

「長谷川平蔵だ」

「う……」

飛び退《しさ》った妙義の團右衛門と入れかわった沼田大七が、

「お頭。逃げろ！」

叫びざま、腰をひねって抜き打ちの一閃《いっせん》、おもいのほかの早わざで平蔵へ斬りつけた。

わずかに身を反らせた平蔵の、塗笠の縁が切り飛ばされ、

「ぬ！」

腰を引いて、二の太刀を振りかぶった沼田の喉笛を、平蔵の腰間《ようかん》から疾《はし》り出た愛刀・粟田口国綱《あわたぐちくにつな》の切先《きっさき》が、ざっくりと切り割った。

颯《さっ》と斜め右へ飛んで、返り血を避けた長谷川平蔵が、

「あっ、あっ……」

あわてて逃げにかかる團右衛門へ追いせまり、すっと、背中を浅く斬った。

「うわ……」

泳ぐようによろめくのへ、前へまわって、

「それ」

平蔵の一刀は、團右衛門の大きな鼻を切り飛ばした。

「ぎゃあっ……」

たまらず、両手で顔を押えた團右衛門の腰を蹴った平蔵が、

「御縄《おなわ》をかけろ」

大声に呼ばわると、夕闇の幕の中から沢田小平次と木村忠吾、それに密偵の駒造が駆

けあらわれ、團右衛門に縄を打った。

池畔を、そぞろ歩いていた人びとの、おどろきの声があがりはじめた。

沼田浪人は倒れ伏し、息絶えている。

縄を打たれた妙義の團右衛門の顔が二つに切り割った西瓜《すいか》のようになっていた。

「團右衛門。おもい知ったか」

「う……う、う……」

「これで終りだとおもうなよ。おのれの一味のことごとくを引っ捕えるまでは、じっくりと、わしの手で拷問にかけてくれる。馬蕗の利平治が、あの世からおのれを見ていよう。どこまで我慢ができるか、まあ、歯を喰いしばって見るがいい」

おかね新五郎《しんごろう》

一

京橋の東詰《ひがしづめ》を江戸城の方へ向って行くと、大根河岸《だいこんがし》になる。

そこの北紺屋町《きたこんやちょう》の角地に〔万七《まんしち》〕という小体《こてい》な料理屋があり、ここの名物は兎汁《うさぎじる》だ。

その日。

小春日和《こはるびより》の昼近くなって……。

市中見廻りの盗賊改方長官・長谷川平蔵は、例のごとく着ながしに浅目の編笠という微行《びこう》の浪人姿で、ぶらりと〔万七〕の前を通りかかった。

今日の平蔵は、単身の見廻りであった。

〔万七〕へは何度か来たこともある平蔵だが、このときは別に、客になるつもりで店の

前へさしかかったのではない。

平蔵の目の前を、骨張った躰《からだ》つきの老婆が歩んでいたが、〔万七〕の手前の横道を右へ曲がった。

そのとき、平蔵は編笠の間から、老婆の横顔を見て、

「あ……」

微《かす》かに声を発し、立ちすくむかたちとなったのである。

老婆が何やら買物の包みらしいものを抱えて、横道から〔万七〕の裏手へ入って行くのを見とどけてから、平蔵は〔万七〕へ入って行った。

〔万七〕は、店を開けたばかりで、

「ゆるせ」

と、入って来た平蔵を出迎えた中年の座敷女中が、

「まあ、お久しぶりで……」

「うむ」

この座敷女中は、平蔵をおぼえている。

だが、まさかに、いまを時めく火付盗賊改方の長谷川平蔵とは、おもいおよばぬ。

二階の小座敷へ入って、酒をのみながら、

(はて。おもいもかけぬ場所で、おもいもかけぬ女を見たものよ)

女ともいえぬ、先ほどの老婆のことであった。

老婆は〔万七〕の下ばたらきでもしているらしい。

老婆の、むかしの名を座敷女中に告げて、いまの身の上を尋ねることはわけもないことだ。

けれども、尋ねれば、そのことが女中の口から老婆の耳へつたわることであろう。

そうなれば、老婆も、

(だれが、私のことを……?)

不審におもい、物陰から平蔵の顔を見とどけようとするやも知れぬ。

二十数年ぶりに見た相手の顔を忘れぬ平蔵だったのだから、老婆も平蔵を見れば、それとおもい出すにちがいない。

老婆に会っても、平蔵は、いささかもかまわぬ。むしろ少からぬ関心をもっていることだし、その後の様子を尋ねてもみたいほどなのだ。

(なれど、急《せ》くにもおよぶまい。この店ではたらいていることがわかったのだから……)

そのことを、ぜひとも知らせてやりたい男が一人いる。

いや、それも、

(知らせるがよいか、知らせぬほうがよいか……)

このことであった。

女中があらわれ、平蔵の前の火鉢へ、小ぶりの鉄鍋をかけ、出汁《だし》をそそいだ。

〔万七〕では、客の前で兎汁をつくる。

淡白な兎の肉の脂肪が秘伝の出汁にとけあい、兎特有の臭みもない。

「朝晩は、めっきり冷え込むようになりましてございますねえ」

慣れた手さばきで鉄鍋へ箸をうごかしつつ、女中がいうのへ、

「もう直《じ》きに、木枯《こがらし》が吹くことよ」

「さようでございます。冬は嫌でございますねえ」

「若いうちは冬も夏も平気の平左だが、年をとるとこたえるわ」

「まあ。何をおっしゃいます」

このとき、となりの座敷へ二人の男の客が入って来たようだ。

〔万七〕の二階座敷は二つきりしかない。

壁ごしに、となりの客の声が洩れてくるのだが、低くて、よく聞きとれなかった。

また、平蔵も格別に、となりの客へ注意をはらっていたわけでもない。

このときは、まだ、馬蕗《うまぶき》の利平治《りへいじ》を殺害し、盗賊改方に、

「まんまと一泡《ひとあわ》吹かせた……」

妙義の團右衛門一味の消息もつかめず、長谷川平蔵、いささか気を腐らせていたのである。

酒をのむうち、いつともなしに、扼殺《やくさつ》された馬蕗の利平治の顔が脳裡《のうり》へ浮かんでくる。

（いい老爺《おやじ》であった……）

兎汁などで腹ごしらえをした後も、腰をあげるのが億劫《おっくう》になり、平蔵は、またしても酒をたのんだりした。

この間、女中がいないときに、平蔵は手枕でとろとろと仮眠をとったりして、およそ二刻（四時間）も万七の二階座敷ですごしてしまった。

今年も、はたらきづめの平蔵は、いまになって夏の疲れがどっと出てきたようなおもいがする。

（さて……こうしてもいられぬ、か……）

手を打って女中をよんだとき、となりの客も帰るらしく、廊下から階段を降りて行く気配がした。

それにつづいて、平蔵も勘定をすませ、〔万七〕を出た。

出た、そのとき……。

〔万七〕の横道から、血相を変えて小走りにあらわれたのは、先刻、平蔵をおどろかせた老婆である。

この老婆が、おかねという名前だと、平蔵は知っている。

平蔵は咄嗟《とっさ》に編笠で顔を隠しつつ、さりげなく河岸道を歩み出していた。

おかねは、ちらりと平蔵を見たようだったが、これは河岸道を南へ走り出した。

（はて……？）

中ノ橋の袂《たもと》まで来て振り向いた長谷川平蔵が、手にした編笠をかぶり直したとき、折

しも京橋川へ架《か》かる中ノ橋をわたって来た浪人ふうの侍が、平蔵の横顔を見て、はっと足をとめた。

浪人と平蔵との間は、十メートルほどもあったろうか。

平蔵の目は、遠ざかるおかねの後姿へ吸いつけられていたので、浪人にはまったく気づかなかった。

浪人は、すぐに、これも手にした編笠をかぶった。

おかねは小走りに走りながら、手ぬぐいを出して頭からかぶり、両端を口にくわえたのは顔を隠したことになる。

その、おかねの行先《ゆくて》に、二人の町人が歩いている。

この二人は、平蔵より一足先に〔万七〕を出た客であった。

その二人の客の後を、おかねは尾《つ》けようとしている。

そのように、平蔵には見えた。

尾行に慣れていない者が尾行をすると、たちまち、後姿にそれがあらわれてしまうものなのだ。

見失わぬところで追って行ったおかねは、走るのをやめ、二人の後から歩みはじめた。

(あの男たちを、おかねは尾けている……)

平蔵は、〔万七〕の、となり座敷にいた二人の客を見ていなかった。

ゆえに、おかねが尾けている二人が、その客であるとはおもっていない。

ときに、七ツ（午後四時）ごろで、夕闇は濃さを増しつつあった。

京橋の袂まで来ると、ここは北の日本橋から南の芝口橋《しばぐちばし》（いまの新橋）へ通じる江戸随一の目抜き通りだけに人通りも多い。

二人の客は、ここまで来て別れた。

一人は大通りを日本橋の方へ行き、一人は大通りを突っ切り、これは依然として京橋川の河岸道を南へすすむ。

おかねは、後者を尾行しているのだ。

（おかねは、いったい、あの男と、どのような関わり合いがあるのか……？）

好奇のおもいが、平蔵の胸に油然《ゆうぜん》とこみあげてきた。

ところで……。

中ノ橋から長谷川平蔵の顔を見かけた浪人も、これは巧妙な足どりで、平蔵の後を尾けて来ている。

平蔵は、前を行くおかねに気を取られていた所為《せい》か、浪人の尾行に気づいていない。

たくましい躰つきの浪人は、袴をつけ、さっぱりした身なりをしており、足の運びには寸分の隙もなかった。

夕空に、鶴の群れが渡っている。

二

いまは、幕府の取締りがきびしくなり、

「影を消してしまった……」

ようだが、長谷川平蔵が若いころには、さまざまな形態で春を売る女がいたものだ。

たとえば、

「安宅比丘尼《あたけびくに》」

といって、頭を青々と剃《そ》りあげ、尼僧の姿をした売女《ばいじょ》があつまっている比丘尼宿だとか、

「牙儈女《すあい》」

という売女もいて、〔万七〕の下ばたらきをしている老婆のおかねも、むかし、この牙儈女をしていたのである。

牙儈女は、たとえば小間物の行商をしながら、客をとるので、紺の大風呂敷に荷物を包み、これを背負って町をながしつつ、

「いい鴨……」

を見つけるのだ。

なじみの客とは、しかるべき場所で密会をする。

こうしたときにも、女の行商人として行くのだから、何かにつけて人の目を逃れることができる。

「牙儈女はいい。便利至極だ」

などと、主人もちの侍も客になるし、

「あの人が……」

と、おもうような大店《おおだな》の主人《あるじ》が、出合い茶屋で牙儈女と忍び逢ったりしていたものだ。

牙儈女にも、いろいろあったのだろうが、おかねは、深川の海辺新田《うみべしんでん》の、もとは漁師の家だったものを借り受け、仲間の三人の女たちと共に暮しながら、客をとっていた。

それは、ちょうど長谷川平蔵が十九か二十《はたち》で、義母や親類から疎《うと》まれ、父の宣雄《のぶお》からも勘当《かんどう》同然になってしまい、本所の屋敷を飛び出し、放埒《ほうらつ》のかぎりをつくしていたころであった。

いまは盗賊改方の密偵となっている相模《さがみ》の彦十《ひこじゅう》や、おまさと知り合ったのも、そのころだ。

おまさの父親で、盗賊あがりの忠助《ちゅうすけ》がやっていた〔盗人酒屋《ぬすっとざかや》〕へ入りびたりになって、まだ十三、四歳のおまさに、平蔵は宿酔《ふつかよい》の介抱をさせたりした。

当時の平蔵は〔銕三郎《てつさぶろう》〕と名乗っていたので、本所・深川界隈《かいわい》を根城にし、無頼無法《ぶらいむほう》の群れに身を投じて、

「入江町の銕《てつ》」

とか、

「三ツ目の鬼銕」

などとよばれ、暴れほうだいに暴れまくっていたものだ。

その一方で、平蔵は恩師・高杉銀平の道場へ通いつめ、岸井左馬之助《きしいさまのすけ》と共に、

「高杉一刀流の竜虎」

と、いわれるほど、剣術にも熱中していた。

牙儈女のおかねを、はじめて見たのも、忠助の〔盗人酒屋〕ではなかったろうか。

夜になり、荷物を何処かへあずけて盗人酒屋へ立ち寄るときのおかねは、ほとんど化粧もせず、わずかに唇《くち》へ紅《べに》をさしたのみであったが、黒眸《くろめ》がちの、唇《くち》もとのきっぱりとした、どちらかといえば、いわゆる男顔《おとこがお》の面だちで、酒はよくのんでも無口な女であった。

あのころ、おかねは二十四、五に見えたが、夏の夕暮れに、盗人酒屋の裏手で、おかねがおまさへ小遣いをやり、行水をつかっているのを平蔵は見たことがある。

黄色い糸瓜《へちま》の花蔭に大盥《おおだらい》を置き、おまさに背中をながさせているおかねの裸身は、意外に肉置《ししおき》がよく、

「ああ、いいきもちだよ、おまさちゃん」

こういって、白い双腕《もろうで》をあげて髪へ手をやったとき、その腋の下の黒ぐろと見えたのを盗み見ていた長谷川平蔵が、おもわず生唾《なまつば》をのみ込むと、

「銕《てっ》つぁん。遠慮をしずに出ておいでなさいよ。いっしょに行水をつかいませんかえ」

いきなり、おかねに声をかけられ、閉口したこともあった。

無口だが、実に鉄火な女で、いつであったか夜ふけに盗人酒屋へ入って来て、ひとり

で酒をのんでいるおかねへ、津軽屋敷の渡り中間《ちゅうげん》が絡《から》み出し、

「へっ。すあいのくせに気取っていやぁがる」

わめきながら、おかねへ抱きつき、乳房へ手を差し込もうとしたとき、物もいわずに立ちあがったおかねが、いつ、どこから出したものか畳針《たたみばり》を大男の中間の右眼へ突き込んだ。

「わあっ……」

たまったものではない。

絶叫をあげ、両膝《りょうひざ》を突いた中間の頭へ茶わん酒をぶっかけておいて、おかねは素早く外へ飛び出した。

右眼へ深ぶかと突き立った畳針を引き抜こうとして、中間はもがき苦しむばかりで、おかねの後を追うこともできぬ。

この中間は、弥助《やすけ》といって、本所界隈の大名家・下屋敷の渡り中間のうちでも、無頼の名を売った奴だが、牙僧女をからかって片眼にされたというのでは、幅もきかぬ道理で、そのうちに何処かへ消えてしまったという。

さて……。

その後のことだが……。

「おかねの女《あま》を、やっつけようじゃあねえか」

いい出すものがいて、

「そりゃあ、おもしろい」

と、長谷川平蔵が乗りかかったのだから、

(おれも若かった……)

ということになる。

「やっつける」

とは、無頼の渡り中間を畳針一本で片眼にしたほどの凄まじい牙僧女のおかねを取って押え、おもうさま、嬲《なぶ》りものにしてくれようというのである。

仲間は平蔵をふくめて五人で、いずれも平蔵の取り巻きどもだが、この中に、当時は三十男だった相模の彦十も加わっていたのだ。

それから数日。

おかねのうごきを探り、

「今夜は早目に引きあげ、海辺新田の巣へ帰《けえ》りましたぜ」

との知らせを受けた平蔵が、

「よし、やっつけよう」

彦十以下四人を引き連れ、深川へ向った。

このときの平蔵は、着ながしの裾をからげ、脇差一つを腰へ差し込み、手ぬぐいで頬かぶりという姿で、いま、そのときの自分の姿を思い浮かべるとき、平蔵の総身《そうみ》へ冷汗が滲《にじ》んでくる。

三

平蔵たちは、翌朝の明け方に、海辺新田にあるおかねの巣を襲った。

おかねと同居している三人の牙儈女のうち、二人は帰って来ていなかったが、おかねと枕をならべて寝ていた一人が悲鳴をあげて外へ逃げ去ったあとで、

「この女《あま》……」

「覚悟しやがれ」

五人の男が、おかねを押え込んでしまった。

いかに、おかねといえども、寝込みを襲われた上、相手が五人では、どうしようもない。

「こいつら。何をしやあがる……」

叫び、口汚く罵り、おかねは踠《もが》きぬいたが、

「あ……畜生……お、おぼえていやがれ。手前《てめえ》たちがだれだか、よく、わかっている。いまに見ていやがれ」

喚《わめ》く声も息が切れ、押しかぶさる男に、丸裸《まるはだか》に引き剝《む》かれ、おかねがぐったりとなった。

そのとき、突然、黒い影が裏の戸を蹴破るようにして飛び込んで来た。

「こいつら、何をする!!」

男である。

浪人らしい。

猛然と刀を引き抜いて、おかねを押え込んでいる男たちへ斬りつけてきた。

このときまで、長谷川平蔵は、ひとり離れて柱を背に、にやにやと見物をしていたのだが、外から躍り込んで来た浪人の大声を耳にして、

（あっ……）

おどろいて、柱の蔭へ身を引いた。

そして、

「みんな、逃げろ！」

叫びざま、土間へ走り下り、戸を蹴倒して外へ飛び出した。

相模の彦十たちも、浪人に追いまくられ、這《ほ》う這《ほ》うの態で後から逃げて来た。

伝吉《でんきち》と松六《まつろく》の二人は、浪人に尻を斬られたり、耳朶を切り落されたりして血だらけになっている。

「銕《てつ》つぁん。卑怯じゃあねえか。何で逃げなすった」

「大将のお前さんが逃げちまったんでは、どうにもならねえ」

「お前さんが、そんな人だとはおもわなかったぜ」

などと、彦十はじめ、みんなが口ぐちに平蔵へ食って掛かった。

平蔵、一言もなかった。

「ま、勘弁してくれ。この埋め合わせはきっとする」

「いいや、ならねえ」

と、当時の彦十は、なかなか威勢がよく、

「本所の銕ともあろう人が、あんな浪人一匹を怖がったとあれば、これから先、お前さん大手《おおで》を振って道を歩けませんぜ」

「ま、彦十。そういうな」

「これが、いわずにいられるけえ」

「実は、な……」

「何が、どうしたと？」

「あの浪人さ。ありゃあ、お前《めえ》、おれが修行に行っている高杉道場へ来ている人だ」

「へえ……」

「相手が悪事をはたらいているのなら、はなしは別だが……こっちが、お前、女を手ごめにしようとしていたのだ。まさかに、この面《つら》を見せるわけにもいくめえじゃねえか」

「銕つぁんの剣術仲間かえ……」

「おれと同じ、高杉先生の門人だよ」

「なあんだ」

彦十たちは、がっくりと、気がぬけてしまったようだ。

平蔵の言葉に、嘘はなかった。

その浪人・原口《はらぐち》新五郎は、平蔵が入門する前から高杉道場へ三日に一度ほど、稽古に来ており、高杉銀平先生は、

「原口の亡くなった父親と、わしは古い知り合いなのじゃ」

と、洩らしたことがある。

平蔵も入門したばかりのときは、原口新五郎に稽古をつけてもらった。

原口は、平蔵より十四、五歳は年長であったろう。

亡父が小金《こがね》を遺しておいてくれたらしく、さして見苦しい姿をしているわけでもなく、深川・蛤町《はまぐりちょう》の釣道具屋の二階を借りてい、そこから本所の高杉道場へ顔を見せていた。

原口新五郎は、これまた非常な無口であって、平蔵より遅れて入門して来た岸井左馬之助なぞは、

「唖《おし》だとおもっていた……」

そうな。

笑い声を聞いたこともない。

いつであったか、道場の前の道で、酔漢が犬に吠えられ、横川《よこかわ》へ落ち込んだことがある。

これを見ていた原口新五郎が、めずらしく笑い声を発したものだから、

「あっ。原口さんが笑っている」

「笑っている、笑っている」

「こりゃあ大変だ。お日さまが東へ沈むぞ」

などと、若い門人たちがおどろいたこともあった。

「あれで、躰が丈夫なれば、原口の剣も更に伸びるのじゃが……」

高杉先生が、そういっていたように、原口新五郎は病身らしく、決して無理な稽古をしなかった。

躰つきも細く、血色もよくなかったけれども、先ず、高杉道場の門人の中では美男のうちに入ったろう。

ときには三月《みつき》ほども道場へあらわれぬことがあり、そうしたときには、

「また原口は、酒をのみすぎて躰を毀《こわ》したのであろう」

と、高杉先生が嘆息と共につぶやいていたものだ。

さて……。

その原口新五郎が牙僧女のおかねの巣へ、夜も明けぬ時刻にあらわれたというのは、

（いったい、どうしたわけなのか……？）

若かった長谷川平蔵には、どうしても、原口とおかねが一つに結びつかなかった。

原口は、そのころ、ずっと道場へあらわれていない。

相模の彦十は、

「きっと、おかねの客だったのさ」

と、いう。

「なるほど」

「それとも、おかねとできていたのかも知れませんぜ」

「まさか……」

「まさかもへちまもねえ。男と女なんて、何が何だかわからねえ生きものだからね」

「お前もそうか？」

「きまってまさあね」

その翌日。

平蔵が、高杉道場へ出て行くと、原口はあらわれなかった。

つぎの日も、また、つぎの日もあらわれぬ。

あらわれたら、いさぎよく、

（あやまってしまおう）

と、おもっていたのだ。

しかし、あのときの状態では、原口に気づかれていないと看てよい。

平蔵は、おもいきって、原口の様子を見に出かけた。

蛤町の釣道具屋の二階から、原口新五郎は半月前に姿を消していた。

「さあ、何でも、江戸をはなれるといってなさいましたが、くわしいことは存じませんと、釣道具屋のあるじはいった。

数日後の昼下りに……。

平蔵は、海辺新田のおかねの巣へ出かけてみた。

いかに何でも、中へ入るわけにはいかなかったが、牙儈女たちが暮していることに変りはない。

これより原口新五郎は二度と高杉道場へあらわれず、おかねもまた、本所・深川界隈から姿を消してしまったのである。


そして……。

いま、長谷川平蔵は、老婆となったおかねを尾行しつつあった。

おかねは先へ行く町人を尾けており、平蔵の背後からは編笠の浪人が尾けて来ている。

おかねが尾けている五十がらみの町人は、京橋の東詰から竹河岸《たけがし》の道を歩んでいる。

その名のように、このあたりは竹屋が多い。

京橋川の河岸道の両側には竹置場が連《つら》なってい、竹の束がびっしりと立ちならび、川《かわ》面《も》も見えぬ。

土地《ところ》の人たちは、

「夏の竹河岸は、暑くて暑くて歩けたものじゃあない」

と、いう。

竹の束が、風をふさいでしまうからなのであろう。

夕闇がただよう竹河岸の道には、あまり人通りもなかったが、ここまで来たとき、急に、おかねが小走りになった。

「あっ……」

おもわず、長谷川平蔵は息をのんだ。

いつの間にか、おかねの手に鰺《あじ》切り庖丁が光っていたからである。

同時に……。

平蔵の背後へ忍び寄って来た浪人が編笠をぬぎ捨てざま、

「たあっ!!」

猛然と、平蔵へ斬ってかかった。

「あっ……」

おどろいた平蔵は、竹置場の間の狭い通路へ、身を投げ込むようにして逃れた。

浪人の一刀は、平蔵の右の肩先を浅く傷つけ、さらに、

「ぬ!!」

通路へ倒れ込んだ平蔵めがけて、二の太刀を打ち込んできた。

おかねの先を歩いていた町人は、浪人が平蔵へ襲いかかった声と物音に気づき、

(何だ?)

振り向いた正面から、

「畜生め……」

おかねが叫び、躰を打ち当てるようにして鯵切り庖丁を突き入れた。

これがもし、浪人の平蔵襲撃が一瞬遅かったなら、町人は振り向くこともなく、おかねの庖丁は町人の背中を突き刺していたろう。

「あっ……」

振り向いた町人の片眼が白く剝き出された。

こやつの右眼は、白い布の眼帯に被われている。右眼が潰れているのだ。

むかし、この男の右眼へ畳針を突き込んだのは、ほかならぬおかねであった。

となれば、こやつは渡り中間あがりの弥助ということになる。

おかねも、むかしのおかねではない。

年も老《と》っているし、足許《あしもと》も、いささかたよりなかった。

(いまだ!!)

と、おもいきわめて走り寄り、庖丁を突き入れたのだが、一瞬早く弥助に振り向かれて、

「な、何をしやぁがる……」

危《あや》うく庖丁を躱《かわ》した弥助が、おかねを突き飛ばした。

どこかで、通りがかりの若い娘の悲鳴があがった。

このとき……。

打ち込み、突き込む浪人の刀を半ば倒れたかたちで必死に躱しつつ、長谷川平蔵は右足で浪人の脛《すね》を蹴った。

「う……」

これは、きいたらしい。

浪人がよろめいた隙に、辛うじて平蔵は半身を起し、かぶっている編笠を毟《むし》り取った。

そこへ、体勢をととのえた浪人が、

「死ねい!!」

大刀を振りかぶって迫る。

ぱっと、平蔵が片膝を立てたままで編笠を浪人へ投げつけた。

これが顔の前へ飛んで来たので、

「うぬ!!」

浪人が刀で打ち払った一瞬の間に、平蔵はすっくと立ちあがりざま、

「鋭《えい》」

腰間《ようかん》の粟田《あわた》口国綱《ぐちくにつな》の一刀、抜く手も見せずに浪人の左腕へ斬りつけた。

「うわあ……」

浪人の絶叫があがった。

左腕が肘の下から斬り放たれ、竹の束へ打《ぶ》つかって土へ落ちた。

浪人の躰を体当りにはね退《の》けて入れちがいざま、平蔵が浪人の頸筋《くびすじ》の急所を斬ってお

いて、後をも見ずに竹置場の通路から河岸道へ躍り出た。

その向うで、おかねの鯵切り庖丁を奪い取った弥助が、倒れたおかねを押えつけ、その胸元へ突き刺そうとしている。

「何をするか!!」

平蔵の大音声が河岸道へとどろきわたった。

ぎくりと平蔵を見た弥助が、おかねを放り捨てて逃げ出した。

「待て」

追いすがる平蔵へ、弥助が鯵切り庖丁を投げつけた。

頸を振って、これを躱した平蔵が倒れているおかねをちらりと見た。

おかねは仰向けに倒れ、白眼《しろめ》を剝き出している。

(殺《や》られたか……)

こうなると弥助より、先ず、おかねだ。

「おかね。しっかりしろ」

抱き起してみると、死んではいない。

倒れたときに頭を打ったかして、気をうしなっていたのだ。

このとき弥助は、娘の悲鳴を聞いて駆け寄って来た人びとを突き飛ばし、何処かへ姿を晦《くら》ましてしまっている。

実に、逃げ足の速い奴ではある。

平蔵は、舌打ちをした。

竹置場の通路に倒れている浪人は、すでに息絶えていた。

四

長谷川平蔵へ襲いかかった浪人が何者か……それは、すぐにわかった。

前に、平蔵は、この浪人を見ている。

三年前の夏。

盗賊改方は、浪人あがりの盗賊・増淵伝右衛門《ますぶちでんえもん》一味の盗賊宿へ打ち込み、七名を逮捕した。

このとき、長谷川平蔵は、首領の増淵伝右衛門と闘い、斬って殪《たお》している。

伝右衛門の弟で、これも盗賊一味の増淵富造《とみぞう》は捕手の包囲を切り破って逃げた。

乱闘のうちに、平蔵も富造も、たがいの顔をみとめ合っていた。

この増淵富造が、万七から出て来た平蔵を見て、

(兄の敵だ。ひとおもいに殺《や》ってしまおう)

咄嗟に決意し、後を尾けて襲いかかったのだ。

富造は、平蔵がおかねを尾行していたことを知っていたものか、どうか……。

おそらく、それと気づかなかったのではあるまいか。

いずれにせよ、同時に、二組の襲撃がおこなわれて、おかねにしてみれば、

(弥助を殺し損ねた……)

ことになる。

では何故、おかねは弥助を殺害しようとしたのか……。

「あいつは、私の子を殺したのでございます」

と、おかねは平蔵にいった。

「子が……いたのか、お前に……」

「女が子を生んだら、おかしゅうございますかえ」

老婆になっても、おかねの鉄火な性情は、まだ消えてはいない。

なればこそ、前後を忘れて、弥助へ飛びかかったのであろう。

「むかし、私は、弥助の片眼を、畳針で潰してやったことがございます」

「おお。それは知っている」

「あいつが、ふざけたまねを仕掛けたもので……」

「そうだとな」

「それを、弥助は恨みにおもっていたのでございましょう。あのときから十年も経って、私が十歳《とお》になる子を連れ、深川へもどってまいりましたのを、弥助に見られてしまいました」

そのころ、長谷川平蔵は、父亡き後の家督《かとく》をし、京都から江戸へもどり、西の丸・書院番の御役目に就いていたのだから、おかねの消息を知るよしもなかった。

おかねの子は、おみのという名だったそうな。

この女の子を抱えて、おかねは、深川の何処かの料理屋か船宿の座敷女中をしていたらしい。

そこで、弥助の目にとまったのだ。

弥助は、おみのを誘拐し、これを絞殺して小名木《おなぎ》川へ投げ込んだのである。

そうしておいて、

「十年前の恨みをはらした。いまこそ、おもい知ったか」

と、使いの者に、おかねへ手紙を届けさせた。

おみのの死体が浮いている場所まで、手紙に書いてあったという。

それきりで、弥助は姿を見せなかった。

おかねは必死に弥助を探しつづけ、ようやく、〔万七〕の客となってあらわれた弥助を見つけ出したのだ。

平蔵の、となりの座敷にいた二人の客のうちの一人が弥助で、酒飯《しゅはん》の途中、小用《こよう》に立ち、階下へあらわれたところを台所から内庭《うちにわ》へ出て来たおかねが見たのである。

おかねは鰺切り庖丁をつかみ、これを隠し持ち、弥助が帰るのを待っていて、後を尾けたのであった。

「ま、こうなったら、おれが助太刀をしてやる。安心をするがいい」

平蔵は、おかねをなぐさめ、すぐさま沢田小平次と大滝の五郎蔵を〔万七〕へさしむ

け、二人の客について探らせることにした。

翌朝になって、相模の彦十が役宅へあらわれ、

「彦十。むかしなじみが一人いるぞ」

「へえ……？」

おかねも彦十も、びっくりした。

彦十が盗賊改方の密偵になっていようとは、さすがのおかねも、おもいおよばぬことだったにちがいない。

役宅へ寝泊りするようになってから、おかねは、台所へ出て一所懸命にはたらきはじめた。

或夜。

平蔵は居間へおかねをよび寄せ、

「〔万七〕では、お前が急に、行方知れずになったとおもっているらしい」

「さようでございますか……」

「弥助も、連れの客も、お前が〔万七〕の下ばたらきをしていたとは、おもっていないのではないか」

「へえ。私は、あいつらに顔を見られてはおりませんでございます」

「あの二人連れは、今年になってから、何度も〔万七〕へ来ているらしい」

「まあ……」

「だから、見込みは充分にある。しばらくは此処にいて、機会《とき》を待て。よいな」

「かたじけのうございます」

「ときに、おかね」

「へえ……？」

「よいかげんに、お前も打ちとけてくれてはどうじゃ。お前が生んだ子の父親《ておや》の名前を聞かせてくれぬか。どうじゃ？」

「いえ、それは……」

「いえぬか？」

「はい」

きっぱりと、おかねがこたえた。

「そうか。いえぬか……」

「これだけは、申しあげられませんので……」

「ふうむ……わしもな、いろいろと考えてみたのだが……」

「……？」

「お前が、どうしてもいえぬと申すのなら、わしが当ててみようか。当るか、当らぬか、それはわからぬが、いま、むかしのことをおもい浮かべてみると、どうも、あの男らしいような……」

いいさした平蔵の目が笑って、

「お前に子を生ませた男は、むかし、わしと剣術の同門で、原口新五郎という人ではないか?」

「えっ……」

おかねの驚愕《きょうがく》は非常なもので、

「ど、ど、どうしてそれを……」

「当ったかえ?」

「も、申しわけもございません」

おかねは、がっくりと頭をたれた。

薄くなって、白いものがまじった、おかねの髪の毛が震えている。

「やはり、そうか……」

「申しわけも……」

「何も、あやまることはない。これ、おかね。いい年齢《とし》をして泣くな」

「は、はい……」

「それにしても、おかね。お前は大した女だのう。いや、怒っているのではない。ほめているのじゃ」

当時、おかねは、新五郎のほかに客をとらなかった。

そして、新五郎の子を身ごもったと知ってからは、

(新さんの出世のさまたげになる……)

おもいきわめて、新五郎の前から姿を消したのだそうな。

五

上野の不忍池《しのばずのいけ》の西方、池ノ端《はた》の七軒町《しちけんちょう》の正慶寺《しょうけいじ》という小さな寺がある。

この寺の物置き小屋を改造した二間に、六十前後の老人が七年ほど前から、独り暮しをつづけている。

この老人が、原口新五郎であった。

いまの新五郎は、あまり躰も丈夫なほうではないし、剣の道からは遠く離れており、近辺の子供たちに読み書きを教えている。

また、能筆《のうひつ》の新五郎は、正慶寺の和尚にも重宝にされているらしい。

新五郎は、この正慶寺の世話になりながら、生涯を終えるつもりなのだ。

その日の午後。

子供たちが帰った後で、原口新五郎は箒《ほうき》を手に外へ出た。

小屋の傍に大きな銀杏《いちょう》の樹があり、落葉が一面に散り敷いている。

これを、新五郎が掃き寄せているとき、寺の門を入って来た人影が小さな柄樽《えだる》へ入った酒をたずさえ、近寄って来た。

長谷川平蔵であった。

今日の平蔵は羽織・袴をつけ、塗笠を手にしている。

それと気づいた原口新五郎が、

「や、これは……」

「久しぶりですな」

「ようこそ」

「おすこやかにて、何よりです」

平蔵は、いまも高杉道場の先輩として、新五郎に礼をつくしていた。

平蔵が新五郎と再会したのは、去年の夏も終ろうとするころであった。

その日。長谷川平蔵は、旧知の田宮作左衛門《たみやさくざえもん》という幕臣が亡くなったので、通夜《つや》におもむき、指ヶ谷《さすがや》の田宮屋敷で一夜をすごし、本郷の通りへ出て来た。

すると、本郷四丁目のあたりで、向うからやって来る原口新五郎を見かけた。

二人とも、それぞれに年齢をとってしまっていたが、平蔵より先に新五郎のほうが笑いかけながら近寄って来たものだ。

いささかも、悪びれたところがない。

新五郎は、いまの平蔵の活躍ぶりを、むろん知っており、

「御苦労に存じます」

言葉づかいも丁重なもので、

「日々、御苦労のことでありましょうな」

と、平蔵をねぎらった。

上辺だけのねぎらいではない。

つまり、原口新五郎は、かねがね、平蔵の御役目を、

(大変なことだ)

と、看ていたのであろう。

「いや、なに……」

平蔵は、面映《おもはゆ》げに、

「さしたることはありませぬよ」

「なかなか」

「久しぶりですなあ、原口さん」

「はいはい」

「どこぞで、一献さしあげたく存じますが……」

「では、私のところへおいでになりませぬか。寺の中の荒屋《あばらや》でござるが、酒ならば、よいのがありまする」

「それでは、お供を……」

「これは……」

と、今度は原口新五郎が、

「お供などと申されては……」

目を伏せたのである。

こうして、二人の交誼《こうぎ》が復活した。

平蔵は、あれからの新五郎について、何も尋ねなかった。

また、尋ねなくとも、およその察しはつく。

病身ゆえに剣を捨てた原口新五郎と、牙儈女のおかねの関係についても、平蔵はふれようとはしなかった。

どうやら新五郎は、深川の牙儈女の巣へ押し込んだ五人の中に、平蔵が入っていたとは知らぬらしい。

なればこそ尚更に、平蔵は、あの一件にふれなかったのだ。

うれしかったのは、老人となった原口新五郎が、いまの境遇に安住しきっていることであった。

「あれも一生、これも一生」

なのである。

いまの原口新五郎は、子供たちへ読み書きを教えることが、たのしくて仕方がないらしい。

「ま、おあがり下さい。取り散らかしておりますが……」

「では……」

中へ入って、新五郎は、すぐに酒の仕度にかかった。

平蔵が持って来た柄樽の酒を、新五郎は押しいただくようにして、

「躰が弱いくせに、これだけは、どうしてもやめられませぬ」

「のみようによっては、百薬の長と申します」

「はい、はい」

小坊主が、柿を剝いたのへ味醂《みりん》をかけまわしたものを運んで来た。

一口食べて、

「これは、しゃれたものだ」

平蔵は、はじめての味わいに感心をした。

「坊さんというのは、あれで食べものには、意外な工夫をいたしますよ」

「なるほど」

「ま、一つ」

「いただきまする」

「燗《かん》のぐあいは？」

「結構でござる」

盃をほした長谷川平蔵が、原口新五郎へ酌をしてやってから、

「ときに……」

「はい？」

「これは、私の恥を申さねばならぬことになりますが……」

「はて。何のことで？」

「その前に、ぶしつけながら、お耳へ入れたいことがありましてな」

「ほう……」

「むかしのことで……」

「むかし……？」

「牙儈女をいたしておりましたおかねのことで……」

平蔵が、こういった途端に、新五郎の顔色がわずかに変った。

寺の境内の上に、鳶の声がまわっている。

薄曇りの、あたたかな午後であった。

「おもいきって、申しあげます」

「はあ……？」

「おかねが、あなたのお子を生んでいたことを御存じでありましょうか？」

原口新五郎が、口を開けたまま、声も出なくなった。

知らなかったらしい。

新五郎にとっては、かなり強い衝撃であったろう。

平蔵は、目を伏せた。

ややあって、新五郎が、

「すりゃ、まことで？」

「はい」

「先般、ふとしたことから、おかねにめぐりあいましてな」

「むう……」

新五郎は呻《うめ》いた。

それから、長谷川平蔵は、相模の彦十たちとおかねの巣へ押し込んだときのことを語りはじめた。

原口新五郎は、瞠目《どうもく》したまま、声もなく聞き入っている。

「ふうむ……」

六

それは、翌年の正月も終ろうとする或日のことであったが……。

片眼の弥助は、仲間の三好屋為吉《みよしやためきち》にさそわれ、久しぶりで大根河岸の〔万七〕へ出かけて行った。

もとより弥助は、おかねが〔万七〕の下ばたらきをしていたとは知るよしもない。

「やっぱり、ここの兎は悪くねえな」

弥助は、舌鼓《したつづみ》を打った。

おかねに襲われて以来、弥助は、このあたりへ足を運ばなかったが、

(もしも、おかねのやつが、あの辺に住んでいるとしても、なあに、こっちが油断をしなけりゃあ怖いことはねえ。もしも、また出て来やがったら物怪《もっけ》のさいわいというやつ

だ。今度こそ息の根をとめてやる）

いまは、肚《はら》を据えている。

あのとき、おかねを助けた浪人ふうの侍が、長谷川平蔵だとはおもいもよらぬ。

若いころの平蔵を、弥助は二、三度見かけていたけれども、その記憶はうしなわれてしまっていた。

「弥助どん。おれが、いくらさそっても、このところ此処へ来たがらなかったのは、どういうわけだ？」

「なあに三好屋。別に、どうということもねえのさ」

三好屋為吉は、茅場町《かやばちょう》で小体《こてい》な小間物屋をしているが、裏へまわると諸々《もろもろ》の悪事をはたらく。

たとえば、息のかかった女を大店《おおだな》の主人《あるじ》や番頭などに世話をしておいて、強請《ゆすり》にかけるとか、騙《だま》し博奕や詐欺をはたらいたりする。

その相棒が、弥助なのである。

三好屋には女房も子もいるが、弥助は独身《ひとりみ》で、深川の大島町《おおしまちょう》へ小さな家を借り、老婆を雇って身のまわりの世話をさせていた。

悪事をはたらいて入る金と博奕の儲けで、弥助のふところはあたたかい。

女が欲しければ、金で買えばいいのだ。

「なあ、弥助どん。こんなうめえはなしがあるのだ」

と、三好屋為吉が、何やら新しい企み事をはなしはじめた。

二人が〔万七〕を出たのは、夜に入ってからだが、二人とも町駕籠《まちかご》をよばせて帰った。

深川の家へ帰ると、弥助は老婆を寝かせてから、また酒をのみはじめ、夜半になって、

「ああ、いい心もちだ」

寝床へもぐり込み、ぐっすりと眠った。

翌朝。弥助は喉の乾きに目ざめた。

まだ、日は昇っていない。

暁闇《ぎょうあん》の中で、枕元へ手をのばしたが、水差が置いてなかった。

「へっ。気のきかねえ婆さんだ」

つぶやいて、寝床から起きあがった弥助へ、

「もう、目がさめたのか」

突如、つぎの間から男の声がした。

弥助は、ぎょっとなった。

「到頭、あらわれたのう、兎汁を食いに」

「だ、だれだ？」

「盗賊改方・長谷川平蔵じゃ」

境いの襖が颯《さっ》と開き、平蔵が、沢田小平次と大滝の五郎蔵・相模の彦十を従えてあらわれた。

「げえっ……」

愕然となったが、そこは素早い奴で、体当りに雨戸を打ち破り、庭へ転げるように逃げた。

このあたりの借家には、よく囲い女が住むので、小さいながら庭もあり、造りもしゃれている。

庭の向うは低い崖になってい、崖の上は土手道だ。

そこへ、弥助は必死に這いのぼった。

と、そこにも、木村忠吾・細川峯太郎の二同心と密偵三人が待ち構えてい、土手道へ這いあがって来た弥助の頭を、木村忠吾が突棒《つくぼう》で撲りつけた。

「あっ……」

「神妙にしろ!!」

「な、何をしやがる。おれが何をしたというのだ。おれは盗みなぞしちゃあいねえ。火つけもしていねえぞ」

「だが、わしの子を殺した」

こういって、原口新五郎が細川同心の背後から姿を見せた。

そのうしろに、おかねもいて、

「弥助。今度は逃さねえよ」

「な、何だと、畜生……」

「畜生は、どっちだ」

叫ぶおかねを制し、白髪の原口新五郎が前へすすみ出て、木村忠吾へ、

「その男にも得物《えもの》をおわたし下さい」

と、いった。

うなずいた忠吾が脇差を弥助の足許へ置き、

「さ、抜け」

「な、何をしようというのだ？」

「わが子の敵《かたき》を討つ」

しずかにいって、原口新五郎が、平蔵から借り受けた貞国《さだくに》の銘刀《めいとう》を抜き放った。

土手道の向うは、堀川をへだてて松平下総守《しもうさのかみ》の下屋敷の土塀が長々とつづいている。

空は、すこしずつ明るみを増し、江戸湾の汐の香が土手道に濃くただよっていた。

軽袗《かるさん》ふうの袴をつけた原口新五郎は、だらりと大刀をひっさげたままだ。

「ち、畜生……」

切羽つまった片眼の弥助が脇差を引き抜きざま、

「爺《じじ》いめ。くたばりやあがれ!!」

喚くと共に、猛然と新五郎へ脇差を突き入れてきた。

転瞬《てんしゅん》……。

ふわりと原口新五郎の痩《や》せた老体がうごき、貞国の一刀が閃《ひらめ》いた。

「うわ……」

どこをどう斬られたのか、新五郎の背後へ飛びぬけた弥助が土手道へのめり倒れ、もう、うごかぬ。

「お見事」

土手道へあがって来た長谷川平蔵が声をかけ、

「さすがでござるな」

「いや、なに……」

刀にぬぐいをかけ、鞘《さや》へおさめた新五郎が、

「拝借の、この刀、手入れをいたしたるのちにお返しいたします」

「そのまま、おもち下され」

「いやいや、もはや、私には不用でござる」

「なるほど」

おかねを見やった平蔵が、

「これで、いくらかは胸がはれたかえ？」

「か、かたじけのう存じます」

土手道へ両膝をつき、平蔵を伏し拝むかたちになったおかねへ、

「これ、そんなことをいたすな。わしのほうこそ、むかしをおもえば、お前の前へ出られる面《つら》ではないのだ」

弥助の死体を用意の戸板に乗せた同心・密偵たちをうながしつつ、長谷川平蔵が原口新五郎へ一礼して、

「後は、よろしゅう……」

といった。

この後。

原口新五郎とおかねは、正慶寺の近くへ家を借りて、共に暮すようになった。

それからも平蔵と新五郎の交誼は絶えなかった。

月日がたつにつれ、痩せおとろえたおかねの躰が肥えてきて、顔の血色もよくなり、一年もすると、

「まるで、見ちがえるほど……」

と、久栄《ひさえ》が平蔵へ洩らしたように、むしろ、福々しい老婆になってきたのである。

逃《に》げた妻《つま》

一

霜月《しもつき》（陰暦十一月）へ入ったばかりの、その日の午後から急に冷え込みはじめて、

「こりゃあ、どうにもたまらぬ」

盗賊改方の同心・木村忠吾《きむらちゅうご》は、朝からの市中見廻りを終えて清水門外の役宅へ帰りかけたが、冷え冷えとした夕闇の中を歩むうち、何としても熱い酒を口にしなくてはいられなくなってきた。

いまの忠吾は、浅草から下谷《したや》、谷中《やなか》へかけてが見廻りの受け持ち区域であった。

上野の広小路から湯島の切通しをのぼってきた忠吾は、

（そうだ。治郎八《じろはち》なら、勘定をのばしてくれよう）

と、おもいついた。

同心の俸禄は三十俵二人扶持《ぶち》で、これに火付盗賊改方としての手当が、わずかに加わる。

申すまでもなく、徳川の家来としては最も軽い身分だが、独身《ひとりみ》のころは人一倍、酒色を好む木村忠吾のささやかな愉楽《ゆらく》をみたすこともできた。

しかし、同じ盗賊改方同心吉田藤七《よしだとうしち》のむすめ・おたかを妻に迎えたいまは、万事に小遣いが不足するのはいうをまたぬ。

まだ、子は生まれぬが、いつまでも新婚の夢が新鮮であるわけもなく、

(おたがいに不足はないが、どうもその、酒のほうがいささか不足だ。それに……)

それに、近頃の長官《おかしら》・長谷川平蔵は、若い同心で、まだ新婚早々の細川峯太郎ばかりを供につれて市中見廻りをする。

以前は、よく、平蔵から、

「忠吾。ついてまいれ」

声をかけられ、見廻りの供をすると、

「少し、やすんでまいろうか」

などと、しかるべき場所へ入り、酒の相手やら食事の相手もさせられたものだ。

(細川め、うまくやっていやがる……)

どうも、妬《ねた》ましくて仕方がない。

しかも細川め、見廻りの翌日、溜部屋《たまりべや》で顔が合ったりすると、

「木村さん。昨日は、御頭のお供で、深川の伊勢初《いせはつ》へ行きましたよ。あそこの鯉の洗いは、なかなかよいです」

臆面もなく、いってのけたりする。

（どうも、このごろの細川はおもしろくない。一度、手ひどく懲しめてやらねばならぬ）

忠吾は、湯島天神の裏門に近い煮売《にう》り酒屋〔治郎八〕の、腰板のついた格子戸を引き開けた。

酒の香と、客たちの機嫌のよいざわめきと、暖かい空気とが、一度に忠吾の躰《からだ》を抱きすくめてきた。

煮売り酒屋ではあるが、場所柄、小ぎれいな造りだし、酒も肴も安くてうまいので、通路をはさんだ両側の入れ込みには、早くも客が詰めかけていた。

さて……。

この〔治郎八〕については、すでに〔一本眉《いっぽんまゆ》〕の一篇でのべておいたが、いまも尚、本格派の盗賊・清洲《きよす》の甚五郎《じんごろう》の江戸における盗人宿なのである。

木村忠吾は、まったく、このことを知らぬ。

清洲の甚五郎は、この前、木村忠吾と知り合った後、上方《かみがた》から尾張にかけての盗みばたらきに身を入れており、江戸にあらわれていない。

〔治郎八〕の亭主も、馬返《うまがえ》しの吉之助といって、清洲の甚五郎の片腕といわれる盗賊なのだ。

四十四、五歳に見える吉之助は、無口ではあるが、いつも優しげな微笑を絶やさず、客の評判がよい。

忠吾は、むろん、吉之助の正体を知らない。

前に清洲の甚五郎が江戸へ出て来たとき、忠吾は、

「お小遣いをさしあげましょう」

と、甚五郎から金五両も贈られている。

また、甚五郎のほうでも、忠吾のことを、

（気分のよい浪人さんだ）

そう、おもいこんでいるのだ。

したがって〔治郎八〕の亭主も、いつも浪人姿で店へあらわれる木村忠吾の正体を知らぬ。

このところ、二月《ふたつき》ばかり足が遠退いていた木村忠吾だが、

「旦那。おめずらしいことで……」

「さあ、こちらへおいでなすって下さいまし」

女を一人も置かず、五人ほどで、きびきびと店を切ってまわしている若い者が、すぐに忠吾を、入れ込みの片隅へ案内してくれた。

それと見て、亭主の吉之助も帳場からあらわれ、

「旦那、お久しぶりでございますね」

「おお、御亭主、繁盛で何よりだな」

「もう、お見かぎりになったかとおもいましたよ」

「とんでもない。こんな気分のよい店を、何で忘れるものか。つまるところは、その、
ふところが、さびしかったのでな」

「そんなことを、お気になすってはいけません」

「実は、御亭主。今日も、その……」

と、口ごもる忠吾へ、

「他《ほか》の客じゃあございません。旦那のことなら、勘定はいつでもようございます」

吉之助が、ささやいたものだから、

「かたじけない」

忠吾は、もう喜色満面《きしよくまんめん》となり、吉之助へ、

「御亭主。このとおりだ」

両手を合わせて見せ、

「では、熱くして、たのむ」

「はい、はい」

運ばれて来た酒を、一口のんだ忠吾が、おもわず、

「ああ、こたえられぬ……」

呻《うめ》くがごとく、嘆声を発したとき、

「木村さん……」

横合いから声をかけてよこしたのは、三十四、五の、これも浪人姿の男であった。

「や……藤田さん。来ておられたのか」

「久しぶりですな」

「ま、ここへおいでなさい」

「では、ごめんを……」

浪人・藤《ふじ》田《た》彦七《ひこしち》が忠吾のとなりへ席を移すと、すかさず若い者が、藤田の盃や箸を移してくれる。この店の者の気ばたらきには、いつも、感心せざるを得ない。

「木村さん。よい折に、お目にかかれた」

「どうなされた？」

忠吾は、藤田彦七の顔色が蒼ざめているのに気づいた。

小肥りの、細い優しげな眼つきの、忠吾にいわせると、

「鼻の穴が天井を向いている……」

いかにも人の善さそうな藤田彦七とは、これまでに何度も治郎八で酒を酌みかわしている。

忠吾は、藤田へ、

「木村忠太郎」

と、名乗っていた。

「躰のぐあいでも、お悪いのか？」

「木村さん、そう見えますか……」

「それとも、何か心配事でも？」

「ああ……」

藤田が、ためいきを吐き、

「いつぞや、私の妻が二年前に、行方知れずになったことを、聞いていただきましたな」

「うむ」

「私と、わが腹を痛めた子を捨てて逃げた妻から、手紙がまいりましてな」

「ほう……」

「まことにもって、困りました」

「……？」

「私は、一月《ひとつき》前に、後妻《のちぞえ》をもらいましたのでな」

「ははあ……で、その前《さき》の御妻女から、どのような手紙が？」

「さればでござる」

藤田彦七は、わなわなと震える手で袂をさぐり、折りたたんだ一枚の紙を出して、

「ごらん下され」

「これが、御妻女の手紙……？」

「さよう」

「拝見してよろしいのか？」

「御意見を、うけたまわりたい」

「この手紙は、いつ、届きました？」

「今日の日暮れ前に……」

「ふうむ……」

木村忠吾は、受け取った紙をひろげて見た。

町家の者が使うふところ紙に、赤い文字がしたためられてあった。

墨で書いたのではない。紅筆《べにふで》で紅を溶いて、あわただしくしたためたものらしい。

一読して、忠吾の顔色も、たしかに変っていた。

二

その手紙には、こう書いてある。

まぎれもなく、逃げた妻の筆であった。

明後日の昼すぎ、七ツから七ツ半の間に、大塚の波切不動堂《なみきりふどうどう》、鳥居前の茶店へまいり

ますゆえ、すぐに、連れて逃げて下さいまし
重ね重ね、悪うございました。お願いでございます。お助け下さいまし

りつ

旦那様
御許

藤田彦七の先妻の名は、おりつというらしい。

人の目をぬすみ、あわただしく、したためたものらしい手紙を折りたたみ、藤田の手へ返した木村忠吾が、

「この手紙、どのようにして、届きましたか？」

「されば、水を汲みに出ようとおもい、台所へまいったところ、この結び文《ぶみ》が竈《かまど》の上へ置いてありましてな」

「では、人知れぬ間に……」

「さよう。りつに手紙をたのまれた者が、そっと置いて、立ち去ったものとしかおもわれませぬ」

「なるほど」

その、たのまれた者は、藤田彦七に会って手紙をわたすことを避けた。

つまり、藤田から、いろいろ問いかけられることを嫌ったのである。

藤田は、親の代からの浪人で、下谷の坂本裏町の小さな家に住み、いまは近辺の子供たちへ読み書きを教え、辛うじて生計を立てている。

木村忠吾が藤田彦七と、この〔治郎八〕で知り合ったのは、先妻のおりつが行方不明となってから半年ほど後のことだ。

偶然に、となり合わせに坐ったので、人見知りをせぬ忠吾から盃を注《さ》し、語り合うようになった。

腹に一物《いちもつ》もない藤田のことだから、

(この男は、いいやつだ)

たちまちに、気に入ってしまい、それからは〔治郎八〕で顔を合わせるたびに親しさを増すようになった。

寺子屋の師匠をしているといっても、何とか酒ものめるらしく、身につけているものも洗いざらしてはあるが垢じみてはいない。

勘定をするとき、忠吾が、

「今夜は、私におまかせなさい」

といっても、藤田は、

「いや、それはいけません」

きちんと割勘定《わりかんじょう》にした。

(なるほど。このほうが却《かえ》って、つきあいやすい)

忠吾は、そうおもった。

親しくなるにつれ、酒の酔いがまわってきたときなど、

「実は拙者、盗賊改方の手の者にて……」

あやうく、正体を打ちあけかけたこともあるほど、忠吾は藤田が好きになっていた。

だが、こうした場合にも、長谷川平蔵は、

「かまえて、正体を明かしてはならぬ」

かねてから与力・同心たちへ申しわたしてある。

親しくなると、藤田彦七のほうから、

「実は、半年ほど前に、妻から愛想をつかされましてな」

さびしげな苦笑と共に、打ちあけてきたものだ。

「まさか……」

「いや、まことなので。妻は、私とむすめを置いて、雲隠れをしてしまいましたよ」

藤田とおりつの間に生まれたむすめは、名をお弓《ゆみ》といい、当時七歳であった。

だから、二年後のいまは九歳になっている。

妻が何処へ行ったものか、藤田は、

「まったく、こころ当りがない」

という。

おりつの父親も浪人で、これはもう、死亡していたし、身寄りもないらしい。

或日、おりつは突然に姿を消した。

置手紙もなかったそうな。

その日の午後、藤田彦七は、所用があって浅草・阿部川町《あべかわまち》に住む知人を訪ね、酒をふるまわれ、夜に入ってから帰宅すると、お弓がひとり、夕餉《ゆうげ》の仕度をした膳の前に坐り、父の帰りを待っていたのだ。

お弓は、近所の子供たちと遊んでいて、夕暮れに帰ってみると、母の姿はすでになかった。

夕餉の膳が二つだけ、用意されてある。

母の膳は出ていなかった。

「その前に、何ぞ、こころ当りでもなかったのですか？」

「ありませなんだ。もともと無口の女でござって……」

「なるほど」

当時のおりつは二十六歳だったというから、いまは二十八歳になっているはずだ。

「いま、拝見した手紙には、連れて逃げてくれと、したためてありましたな」

「さ、さよう」

「すると、悪い奴どもに捉《つか》まっているというようにも考えられる」

「私も、そのようにおもうたのです、木村さん」

「やはり、な……」

「これは、やはり、お上《かみ》へ届け出たほうがよろしいのではないか。いかがなものでしょう?」

「ふうむ……」

盗賊改方の同心・木村忠吾に打ちあけたというのは、すなわち、お上へ届け出たことになるのだが、藤田は忠吾の正体を知らぬ。

「ま、お待ちなさい」

「なれど……」

「迂闊《うかつ》なことをして、御妻女に害がおよんではなりますまい。お上へ届けてよいものなら、その手紙にも、そうしてもらいたいとしたためてよこすはずだ」

「ははあ……」

「それよりも、だ……」

いいさして、忠吾は、

「おい、熱いのをたのむ」

と、若い者へ声をかけた。

そして、酒が運ばれてくるまで腕組みをして考え込んだ。

その、もったいらしい忠吾の顔を、藤田彦七がすがりつくように見まもっている。

運ばれてきた酒を藤田の盃へ注いでから、忠吾はたてつづけに盃を重ねた。

「き、木村さん……」

「ひとつ、聞いておきたい」

「何です？」

「あなた、ほんとうに、前の御妻女を助けたいのですな？」

「さよう」

「助けて、どうなされる」

　忠吾に、こう問われて、藤田彦七は愕然《がくぜん》となった。

　そこまでは、まだ考えていなかったのだ。

「いまのあなたは後妻をもらっていなさるというではないか」

「さよう」

「その後妻どのがいなさる家へ、前の妻女を連れて行くつもりですか？」

「さて……」

　後妻のおみねは、藤田の家からも程近い金杉上町《かなすぎかみちょう》の通りにある米屋の孫造《まごぞう》の次女で、嫁《とつ》ぎ先の夫に死なれ、子もなかったので実家へもどっていたのを、世話する人があって藤田彦七と再婚をした。

　二十七歳のおみねに、藤田のむすめのお弓も、よく懐《なつ》いているそうな。

　そこへ、逃げた先妻を連れてもどる肚《はら》が決まっているのか、どうか……。

　顔面蒼白となってうつむいた藤田彦七をながめ、

（ははあ……藤田さんは、まだ、逃げた妻女に未練が残っているらしい）

忠吾は、そう看て取った。

「藤田さん……」

「は……」

「そこのところをよく考えて、しっかりと肚をお決めなさい。まだ、明日いちにちある。明日の昼すぎに、湯島天神の境内で会いましょう。私も手段《てだて》をじっくりと考えてみよう。ともかく、お上へ届け出るのは、それからのことにしたらどうでしょう。それからでも遅くはない」

「さよう……」

「いかが？」

「は……」

ようやくに、藤田彦七の肚も決まったらしい。

おもいあぐねて〔治郎八〕へ来て、酒に憂さをまぎらせようとした藤田だけに、此処で木村忠吾に会うことができたのは、まことに心強いことであったにちがいない。

「では、木村さんのお言葉にしたがいます」

「このように、あなたの酒の友になれたのも何かの縁《えにし》です。私も腕にはおぼえがある。ま、安心をしていなさい」

と、木村忠吾、胸を反らせて気炎を吐いた。

三

大塚の波切不動堂は、はじめ伊勢の国の或る村に安置されてあったのを、かの日蓮上人が伊勢路を旅するうち、霖雨《りんう》のため水量《みずかさ》を増した河を渡りかねているとき、老爺に姿を変えた不動明王が河の水を切って上人を渡河《とか》せしめたという。

この不動明王の本尊を東国《とうごく》へ運び、大塚の地に移したのも日蓮上人だそうな。

「農民、その塚上、松の木の下に一宇《う》の草堂《そうどう》を営建して、これを安置したてまつる」

と、物の本にある。

いまは、東京都文京区大塚仲町《なかまち》の内だが、当時は江戸の郊外のおもむきがあり、それでいて、新義真言宗豊山派の大本山・護国寺《ごこくじ》が近いだけに、町なみもととのい、種々の店屋も軒を連《つら》ねている。

木村忠吾が藤田彦七と会った翌日の昼下りに……。

盗賊改方長官・長谷川平蔵が大塚仲町の通りを北へ歩む姿を見出すことができる。

今日の平蔵は、細川同心を従えてはいず、例によって着ながしの浪人姿で塗笠をかぶり、ゆっくりとした足取りで、波切不動堂の前まで来た。

今日は風も絶え、雲一つなく晴れわたり、気温も上ったようだ。波切不動堂の別当は、日蓮宗の通玄院《つうげんいん》だが、境内は、まことに狭い。

通りに面した空地の正面に茅《かや》ぶき屋根の茶店が一つあり、その左手に鳥居が見える。

藤田彦七の逃げた妻が、鳥居前の茶店と書いてよこしたのは、この茶店であろう。

鳥居を潜《くぐ》って石段をあがると、黒塀と小さな門。その門の向うに本堂がある。

「ゆるせ」

平蔵は茶店へ入り、あたりを見まわした。

変哲もない茶店である。

荷馬を外に繋《つな》いだ中年の馬方《うまかた》が一人、土間の腰掛けで酒をのんでいた。

平蔵は、茶店の老婆に酒をたのみ、塗笠をぬぎ、馬方から少しはなれた腰掛けにかけた。

老婆が、ぶつ切りにした蒟蒻《こんにゃく》の煮たのを小鉢へ入れ、酒と共に運んできた。

唐辛子を振りかけた、この蒟蒻がなかなかの味で、

「うまい」

おもわず平蔵が口に出し、竈《かまど》の傍にいる老婆へうなずいて見せると、老婆は、さもうれしげに笑った。皺は深いが、いかにも人の善さそうな老婆だ。

(この茶店に、怪しむところは何一つない)

と、平蔵は看て取った。昨夜、酒の匂いをさせながら役宅へもどった木村忠吾は、藤田彦七の一件を、平蔵へ報告し、

「いかがいたしましょう」

「さようさ」

平蔵は、わずかの間、沈思していたが、

「放ってもおけまい。夫と子を捨てて逃げた女なぞどうでもよいが、女を苦しめている無頼どもがいるとすれば、見逃すわけにはまいるまい。お前が耳にしたからには、な」

「は……」

「今夜は大分《だいぶん》に、きこしめしているではないか」

「いえ、あの……」

「ようも、小遣いがつづくものじゃ」

「いえ、今夜は……」

「その藤田彦七が馳走してくれたのか」

「さようでございます」

「意地のきたないやつめ」

と、もう、さんざんである。

叱りながら、叱られながら、平蔵と忠吾は打ち合わせをすまし、忠吾は冴えぬ顔つきで四谷の組屋敷へ帰って行った。

その忠吾は、いまごろ、約束どおりに藤田浪人と湯島天神境内で待ち合わせているはずであった。

明日の七ツ（午後四時）から七ツ半（五時）の間に、藤田の先妻おりつが、この茶店へあらわれる。あらわれたら、

「すぐに、連れて逃げてくれ」

と、いってよこした。

「お助け下さいまし」

と、書きしたためてあった。

（その、おりつという女、藤田彦七の目をぬすみ、情夫《おとこ》ができた。いや、情夫に騙《だま》されて逃げた。その後で、情夫から何やら苦しい目にあわされ、逃げることもできぬようになっている。なれど、いたたまれず、隙を見て、捨てた夫に助けをもとめてきた……）

そのようなことが、先ず考えられる。

この茶店を、おりつが指定してよこしたのは、この近くに住み暮しているのではあるまいか。

いずれにせよ、明日の七ツから七ツ半の間に、おりつは逃げる機会をつかんだと看てよい。

やがて……。

長谷川平蔵は、まだ酒をのみつづけている馬方を残し、茶店を出た。

波切不動堂前に立って、あたりを見廻すと、北は板橋宿《じゆく》への道。西は富士見坂を下った左手に、護国寺の宏大な杜《もり》と堂宇の大屋根がのぞまれる。

そして南は、大塚仲町から小石川へ通じる道で、その西側に安藤長門守《あんどうながとのかみ》（陸奥《むつ》・磐城《いわき》平《だいら》五万石）下屋敷の土塀が延々と伸びている。

（忠吾め、いまごろは湯島天神境内で、藤田浪人と会うているころだな）

明日の手筈は、昨夜、忠吾へいいふくめておいた。

同心や密偵たちも数名、密かに配置しておくつもりであった。

そして、町駕籠《まちかご》を一挺用意しておき、おりつがあらわれたなら、すぐさまこれへ乗せて、前後をそれとなく盗賊改方がまもり、速かに引きあげることになっている。

むろん、藤田彦七が駕籠に付きそうことになっているけれども、問題は、おりつを何処へ引きあげさせるかであった。

それを今日、木村忠吾は藤田浪人と打ち合わせることになっている。

できうるなら、忠吾は自分の正体を明かしたくないらしいが、それは事件の性質にもよるであろう。

塗笠の内から、あたりを見廻した長谷川平蔵が、

（いまのところは、打つ手もない）

ゆったりと歩み出した。

このあたりが不案内な平蔵であったが、一応、地形をたしかめておきたかったのである。

平蔵は護国寺の門前へ向って歩みかけたが、

（あ……）

後方から富士見坂をのぼって来る一人の男を見かけるや、素早く、しかも然《さ》りげなく、

右側の古道具屋の軒下へ入った。

「いらっしゃいまし」

と、中から顔をのぞかせた亭主へうなずいて見せ、平蔵は店の内に並べ置かれた道具類をながめつつ、わが肩ごしに件《くだん》の男を注視した。

忘れもせぬ。

この男は、

「燕小僧《つばめこぞう》」

の異名をとった盗賊で、入間《いるま》の又吉《またきち》という。

又吉は年少のころから、両国の見世物小屋で軽業《かるわざ》をしていたことがあり、まことに身が軽い。

背丈は尋常だが、まるで細竹のように引きしまった体軀であった。

燕小僧又吉は、呼吸の合った仲間を五、六人あつめて盗みばたらきをする。

つまり、急ぎばたらきをやるわけだが、よほどのことがないかぎり、血をながすようなことはせぬ。

だが、急ぎばたらきであるからには、ときには殺傷《さつしよう》もしているにちがいない。

数年前に、火付盗賊改方が燕小僧又吉の隠れ家《が》をつきとめ、夜明けに、これを包囲して打ち込んだことがある。

そこは、麻布の一本松町の路地奥の家だったが、又吉は屋根へ逃げ、

「木ッ端《こっぱ》役人の手にかかるような燕小僧じゃねえ。捕《と》れるものなら捕ってみやがれ」

大見得を切り、屋根の上で蜻蛉返《とんぼがえ》りを打って見せると、

「ざまあ見やがれ」

屋根から屋根へ飛び移り、たちまちのうちに何処かへ消えてしまった。

屋根の上で捕手を嘲笑した又吉の、色白で鼻がつんと高い顔だちを、長谷川平蔵はいまも見おぼえている。

又吉の、あまりの早業に、さすがの平蔵も、

「おどろいたやつじゃ」

瞠目《どうもく》をしたものであった。

その燕小僧又吉が、人通りのはげしい富士見坂をのぼって来た。

平蔵は先に気づいたが、又吉のほうは少しも気にかけず、古道具屋の前を行き過ぎた。

お尋ね者の顔を隠そうともせぬのは、いざとなっても逃げ切れる自信があるからであろう。

たとえ、擦れちがったとしても、塗笠をかぶった着ながしの浪人が、いまを時めく火盗改方の長官とは気づくはずもなかったろう。

やりすごしておいて平蔵は、

「また、今度……」

古道具屋の亭主に声をかけておいて、燕小僧の尾行に取りかかったのである。

そのころ……。

木村忠吾は湯島天神境内で、藤田彦七と会っていた。

二人が行きつけの〔治郎八〕は、目と鼻の先にあるが、店を開けるのは七ツ（午後四時）をすぎてからだ。

天神社の拝殿の裏手の木立から、不忍池《しのばずのいけ》をながめながら、二人は語り合った。

忠吾が、町駕籠の用意をしたと告げるや、藤田はおどろいて、

「そのようなことまで、御面倒を……」

「何の、かまわぬ。私も、密かに見張っていますよ」

「相すみませぬなあ」

「なあに、浪人は相身互《あいみたが》いだ」

「なるほど、町駕籠を雇うことに気づきませなんだ」

「あなたは駕籠に付きそって走りなさい。私は後から見張る」

「はあ、かたじけない」

「で、おりつどのを乗せた町駕籠を何処へ着けなさる？」

「されば……」

と、藤田彦七が語るには、自分の家からも近い坂本四丁目に〔鮒宗《ふなそう》〕という蜆汁《しじみじる》と川魚で酒をのませたり飯を食べさせる店があって、そこの亭主の宗六《そうろく》とは顔なじみだと

いう。

藤田と宗六は、いわゆる碁敵《ごがたき》の間柄で、以前は日に一度、かならず藤田が〔鮒宗〕へ出かけ、夜に入るまでは時間《とき》を忘れて碁を打った。

ところが、おりつの失踪があってから、何となく双方が気づまりとなり、ちかごろは、めったに足を運ばぬ。

それというのも、おりつが他の男に誘われたのは、藤田が〔鮒宗〕へ出かけている間のことで、夫が毎日、家をあける時間に、情夫ができたわけだから、宗六も、

（先生を、むりに引きとめて碁を打ったりしたのがいけなかった。こいつは悪いことをしてしまった……）

と、おもったらしく藤田も、宗六が気に病んでいるのを知り、何となく〔鮒宗〕へ行きづらくなってしまったようだ。

だが、いまは、そのようなことをいってはいられぬ。

とりあえず、救い出したおりつが落ち着く場所を考えると、まさか後妻がいる我が家へ連れて行くわけにはまいらぬ。

そこで今朝、おもいきって〔鮒宗〕へ出かけ、亭主に事情をはなすと、

「ようございますとも。いくらでもちからになります」

罪ほろぼしはこのときとばかり、宗六が引き受けてくれた。

「大丈夫。近所の連中には、わからねえようにいたしますよ」

「たのむ、御亭主」

これを藤田から聞いた忠吾が、

「よし。それできまった。では明日、八ツごろに小石川の伝通院《でんずういん》・中門《なかもん》前で落ち合いましょう。駕籠も、そこへ待たせておこう」

「かたじけない」

眼を潤《うる》ませた藤田彦七が、深ぶかと頭を下げ、

「木村さん。もつべきものは友でござる」

「な、何の、そのような……」

「ともあれ、これを入費《にゅうひ》にいたしてくれませぬか。わずかばかりで、まことに、はずかしいのですが……」

紙に包んだ金二分を、忠吾へ手わたした。

四

燕小僧又吉は、大塚の通りを小石川の方へ向っていたが、窪町《くぼまち》のあたりまで来ると小道を左へ曲がった。

このあたりは、曲がりくねった道をはさんで大小の武家屋敷ばかりだ。

又吉は、どこまでも東へすすむ。

武家屋敷が並ぶ道には人通りが少い。

それで長谷川平蔵、尾行には骨を折った。

どこまでも東へすすむと、道が切れて、小川がながれている。

川の名を小石川とよんだのが、後の地名となったともいわれている。

この川は巣鴨のあたりから小石川の柳町を経て、水道橋から神田川へ合流する。

川の向うは、一面の田圃《たんぼ》と木立であった。

これを氷川田圃《ひかわたんぼ》とよぶのは、近くに素戔嗚尊《すさのおのみこと》などを祭神《さいじん》とする氷川明神《ひかわみようじん》の社《やしろ》があるからだ。

燕小僧又吉は、川に架けられた土橋を東へわたると、この氷川明神社の方へ向って行く。

田圃の中の小道を突き当ると、そこに素朴な鳥居があり、松や杉の木立が鬱蒼《うつそう》としている高処《たかみ》の上に氷川明神の本社がある。

又吉は、鳥居の手前の右手に見える雑木林の中へ入って行った。

これを平蔵は、土橋の上に立って、たしかに見とどけた。

波切不動堂からこのあたりまで、歩いてもさほどの時間はかからぬが、景色は、

（まるで田舎……）

といってよい。

稲を刈り取った後の冬田には人影もなかった。

冷え冷えと澄みきった初冬の空に、雁《かり》が渡っている。

遠い北国から渡って来た雁は、冬を過ごしてから、春になると、また北国へ帰って行くのだ。

帰る雁を見るのは妙にさびしいものだが、渡って来る雁には、

(また、やって来たな)

暖かい懐しさをおぼえるものだ。

土橋をわたりかけた長谷川平蔵の草履の先が何かに当った。

見ると、小型の釘抜きが落ちているではないか。

通りがかりの大工の道具箱からでも落ちたものか、それは知らぬが、使い古した釘抜きを、何をおもったか平蔵は拾いあげ、これを持った右手をふところに入れ、氷川明神社の方へ歩み出した。

燕小僧又吉は、木立の中の、藁屋根の小さな家へ入って行ったらしい。

そこが又吉の隠れ家なのか、それとも仲間の盗賊を訪ねて来たものか……。

いずれにせよ、又吉の場合は、盗人宿などという大形《おおぎょう》なものを設けたりする盗《つと》めではない。

気の合った仲間を数人あつめ、又吉が、

「ここぞ」

と、ねらいをつけ、自分が探っておいた商家へ、一気に押し込むのが常例なのである。

(よし)

長谷川平蔵の決意は、又吉を尾行しつつ、しだいにかためられた。

（なまじ、彼奴《きゃつ》めの巣を突きとめた上、逃してはならぬというので捕方を出し、取り囲んだりすると、却ってこなたの気配をさとられ、取り逃してしまうことにもなろう）

又吉と共に、その仲間をも捕えようとするから、又吉に逃げられてしまうことにもなる。

仲間といっても、人数が多いわけではない。

それよりも、燕小僧一人を召し捕ってしまったほうがよい。

さいわいに、平蔵の尾行は気づかれていない。

（わしが、この手で捕えてくれよう）

このことであった。

平蔵は、いったん、氷川明神の鳥居を潜ってから迂回して雑木林へ踏み込んで行った。

果して、木立の中に小さな家が一つある。

又吉の様子から推してみて、

（ここは、彼奴めの巣ではないらしい）

と、平蔵はおもった。

燕小僧又吉は、このような、さびしい場所の家を借りて住み暮すような奴ではない。

江戸市中の、にぎやかな町すじを好み、そこへ好きな女のひとりも囲って暮したがる。

また、そのほうが、いざというときも逃げやすいのだ。

たとえば、このような場所にいて、捕方に囲まれたなら、屋根の上へ飛びあがっても、飛び移る的《まと》がない。

人込みにまぎれて逃げることもできぬ。

見つからぬうちはよいが、見つかったら最後だ。

平蔵は、その家の裏手へ出て、木蔭から見まもった。

裏に、井戸がある。

井戸の水を汲んでいる女がいる。

三十前後であろうか、いささか窶《やつ》れて見えるが、なかなかの器量だ。顔の色も冴えぬようで、何やら虚ろな眼《まな》ざしをしている。

町女房の風体《ふうてい》なのだが、それがどうも、この女には、ぴたりと身についていないようにおもえた。

家の中から、男の大声が聞こえた。

女の名をよんだらしいが、よく聞きとれなかった。

女は、あわてて水を汲み終え、裏口から中へ入って行った。

どこかで、鵙《もず》が鳴いている。

木立の外の日ざしはまだ明るかった。

平蔵は、しずかに家の裏手へ近寄って行った。

(いまの男の声は、又吉の声ではない)

するとこ、その男の家へ、燕小僧又吉が訪ねて来たことになる。

そのころ……。

湯島天神の境内を出た木村忠吾と藤田彦七は、上野山下から坂本の通りへ向いつつあった。

藤田が、

「どうしても、鮒宗の亭主に会っていただきたい」

しきりにいうものだから、忠吾は同行することにした。

(鮒宗の亭主というのは、気前がよいらしい)

そこへ行って、明日の打ち合わせをするとなれば、泥鰌鍋《どじょうなべ》か何かで酒が出るにちがいない。

(悪くないな)

深刻な顔つきで歩む藤田彦七と肩をならべている木村忠吾の口もとが、しだいに弛《ゆる》んできた。

五

家の裏手の戸口に、大きな柿の木が枝を張っている。

その木の下へ佇《たたず》んだ長谷川平蔵は、家の中の気配に耳を澄ませた。

言葉は、よく聞きとれぬが、語り合っている男の声は二人きりであった。

それとたしかめた平蔵が微かにうなずき、しずかに塗笠をぬぎ、台所の窓の下へ置くや、右手をふところから引き抜きざま、左手で裏の戸を引き開け、颯《さっ》と台所の土間へ飛び込んだ。

「だれだ？」

土間の向うは板敷きになってい、小さな炉が切ってある。

その向うに、男が二人いた。

障子を開け放したままなので、こちらを振り向いた浪人ふうの男の肩ごしに、燕小僧又吉の白い顔と尖った鼻が見えた。

水を汲んでいた女は、二人へ酒を出しているところであった。

「何奴だ？」

浪人が叫んだとき、平蔵は物もいわずに板敷きの間へ躍りあがった。

同時に、燕小僧又吉の躰が、はっとうごきかけた。

転瞬《てんしゅん》……。

平蔵が、このときまで右手に摑んでいた釘抜きが唸りを生じて、又吉の顔面へ投げつけられたのである。

又吉め、一瞬、遅かった。

鉄製の釘抜きが、腰を浮かせた又吉の鼻へ何ともいえぬ音をたてて命中した。

「うわ……」

目が暗んだ又吉が尻餅をついたときには、早くも平蔵は腰の大刀を抜き打ちざまに、浪人へ斬りつけている。

ほんとうに斬るつもりではない。

邪魔な浪人を追い退けようとしたのだ。

浪人は、泳ぐように身をひるがえし、左手の小部屋へ飛び込んだ。

「きゃあっ……」

女が悲鳴をあげて部屋の片隅へ逃げ、袂で顔を被い、突っ伏した。

そのとき、峰を返した平蔵の刀が、燕小僧又吉の頸《くび》と肩の間へ打ち込まれている。

「むうん……」

わずかに呻いた又吉が、気を失って、ぐったりと倒れた。

小部屋に置いてあった大刀を引き抜いた浪人があらわれ、

「おのれ!!」

喚いて、平蔵へ斬りかかったのはこのときだ。

身をひねった平蔵は障子へ体当りし、倒れる障子と共に縁側へ転げ出た。

「うぬ!!」

追いせまる浪人の刀は、何分、せまい部屋の中だけに自由がきかず、わずかに、その切先が平蔵の裾を切りはらったにすぎない。

縁側から前庭へ逃げた平蔵を追って、

「何者だ？」

浪人は息もつかせず、斬りつけてくる。

どうして相当な腕前だ。

浪人の刃《やいば》を打ちはらい、平蔵が腰を沈めて構えをととのえた。

「くそ!!」

浪人は振りかぶった大刀を、平蔵の真向から打ち込んできた。

「やあっ!!」

はじめて、平蔵の気合声が迸《ほとばし》った。

打ち込んできた浪人の一刀を、平蔵の刀が下から擦りあげたのである。

その太刀筋の強さは、相手が長谷川平蔵と知らぬ浪人にとって、実に意外のものといってよかったろう。

このときまで、身を躱《かわ》す一方だった平蔵に、浪人は、

（こやつ、討てる!!）

いくぶん、軽く看ていたにちがいない。

それだけに平蔵の逆襲の鋭さがこたえた。

擦りあげられた浪人の大刀は、あやうく手を放れそうになり、

「あっ……」

刀の柄《つか》をつかみ直し、浪人はよろめいた。

そこへ、敵の刀を擦りあげた余勢を駆って空間《くうかん》に閃《ひらめ》いた平蔵の刀が襲いかかった。

その一刀が浪人の左頰から顎にかけて切り裂いたものだから、たまったものではない。

「うわ……」

大刀を落し、浪人が仰《の》け反った。

その腹へ、これも峰を反した平蔵の刀が打ち込まれ、浪人は失神して倒れた。

見向きもせずに平蔵が縁側へ飛びあがり、台所の方へ這うようにして逃げかけている女へ、

「盗賊改方・長谷川平蔵じゃ。逃げては却って為にならぬぞ!!」

大音《だいおん》に、よびとめた。

くたくたと、女が板敷きの上へ崩折れた。

うつぶせに倒れたままの燕小僧又吉は、まだ息を吹き返さぬ。

六

あれから木村忠吾は、坂本の〔鮒宗〕で亭主の宗六から酒を馳走になり、

(こんな顔をして、役宅へはもどれない)

というので、酔いをさましてから清水門外の役宅へあらわれたのは、夜に入ってからであった。

「木村。いまごろまで何処で何をしていたのだ?」

門の内へ入るや否や、あわただしげに通りかかった同心筆頭の酒井祐助《さかいゆうすけ》から叱りつけられた。

「いや、何をといわれても……市中見廻りですよ、酒井さん」

不満げに口を尖らす忠吾へ、

「早く御頭のところへ行け。先刻から、おぬしの帰りをお待ちかねだぞ」

どうも、役宅内がいつもとちがう。

ことに、牢屋のあたりへ、緊迫した同心たちの姿が見えるのに気づいた忠吾が、

「酒井さん。何か、あったのですか？」

「御頭が、燕小僧又吉を召し捕ってもどられたのだ」

「へえ……」

長谷川平蔵が今日、波切不動堂の周辺を、念のために見廻ることを、忠吾は知っていた。

(では、その途中で、燕小僧を見つけ出されたのか……これは、もう、藤田浪人の女房どころではない)

目をみはっている忠吾へ、酒井が、

「木村。早く行かぬか」

「わ、わかりました」

忠吾は奥庭づたいに、平蔵の居間へ近づき、

「木村忠吾、ただいま、もどりました」

恐る恐る声をかけた。

居間の障子が開き、長谷川平蔵が縁側へあらわれ、

「また、のんでいたのか？」

「いえ、何をもって、そのような……」

「今日は、藤田彦七に会ったのであろうな」

「は、はいっ。明日の手筈につきましては、遺漏《いろう》なく打ち合わせましてございます」

「そのことよ」

「は……」

「すべて終ったわ」

「な、何がでございます？」

「明日は、波切不動へ出張《でば》らずともよいということよ。おもいがけぬことであったが、すべて一度に片づいてしまった」

「な、何とおおせられます……？」

「お前の帰りが遅いので、先程、細川峯太郎を藤田彦七の浪宅へつかわした。間もなく役宅へあらわれよう」

「藤田が、でございますか？」

「さようさ。こうなれば忠吾、むしろ、お前は顔を出さぬがよい。さすれば、これまで

どおり、お前の正体を気づかれずにすむというものじゃ」

「……？」

忠吾は、何が、どのようになっているのか、さっぱりわからなかった。

「よいか。藤田彦七がまいったなら、顔を出すなよ」

「は……」

しばらくして木村忠吾は、茫然として奥庭から出て来た。

通りかかった同心の沢田小平次が、

「木村、どうした？」

「あ……」

「御頭が、おひとりで燕小僧を召し捕られたぞ。いや、実に大したものだ。聞いたか？」

「聞きましたよ」

「それにな、一味の浪人・竹内重蔵《たけうちじゅうぞう》をも召し捕られた」

「いま、聞きました」

「これ、何処へ行く？」

「御頭からのおおせで、組屋敷へ帰るのですよ」

「そうか。だが、浮かぬ顔だな」

「がっかりしました」

「どうして？」

「ま、いいのです。私の知ったことじゃあない。知ったことじゃあない」

忠吾が、ぼんやりとした顔つきで組屋敷へ帰ってから間もなく、細川峯太郎が藤田彦七を連れて、役宅へもどって来た。

細川は平蔵の指図を受けてから、

「こちらです」

と、白洲が見える詮議場《せんぎば》へ藤田を案内した。

「いったい、何故、私が盗賊改方に呼び出されねばならないのですか？」

またも藤田は、不安そうに、細川へ先刻から何度もした質問を繰り返した。

「ま、見ればわかります。さ、こちらへ。さ、どうぞ」

小部屋の中と外の廊下には、合わせて三名の同心が見張りについている。

障子を開けると、顔へ包帯を巻きつけた浪人ふうの男が手足を縛《ばく》され、横たわっているのが見えた。

「藤田さん。あの浪人の顔を、よくごらんなさい」

「はあ……」

顔の右半面が包帯からのぞいて見える。

「あっ……」

おもわず、藤田彦七が驚愕の声を発し、

「た、竹内重蔵殿ではないか……」

浪人は、顔をそむけた。

「竹内殿。どうして、このようなところに？」

問いかける藤田へ、細川峯太郎が、

「こやつは、燕小僧と申す盗賊の一味でしてな」

「と、盗賊の……」

藤田は、

(とても、信じられぬ……)

といったように、頸を振った。

「さ、こちらへおいでなされ」

おどろきの連続で、度を失っている藤田彦七の袖を引いて、細川同心は廊下へ出た。

竹内浪人と廊下をへだてた向い側にも小部屋がある。

この障子を開けながら、細川が、

「中に、女がいます」

「………？」

「いまの浪人と共に暮していた女ですよ」

「おんな……？」

「さよう。ま、ゆるりと語り合われるがよい」

細川に背中を押され、小部屋の中へ足を踏み入れた藤田彦七が、振り向いた女の顔を見て、

「おりつ」

愕然として、立ち竦《すく》んだ。

浪人・竹内重蔵は二年ほど前まで、藤田彦七の家からも遠くない金杉下町《しもちょう》の裏手に住んでい、藤田とは例の〔鮒宗〕で知り合った。

竹内も碁を打つので、親しくなるにつれ、藤田の家へもやって来ては碁も打つし、酒ものむようになり、したがって、藤田の妻おりつとも知り合いになったわけである。

そして、おりつは藤田を捨て、竹内の許《もと》へ走った。

そのことに、人の善い藤田彦七は、いささかも気づかなかった。

それというのも竹内重蔵は、おりつが出奔する三月《みつき》ほど前に、

「しばらくの間、生まれ故郷の近江《おうみ》で暮してみる」

と、藤田に別れを告げ、餞別までもらい、金杉下町の家を引きはらっていたからだ。

おもえばそのとき、竹内とおりつは、たがいにしめし合わせていたにちがいないし、竹内は江戸市中の何処かで、おりつが逃げて来るのを待っていたらしい。

「竹内重蔵のような男の手にかかると、おのれの亭主ひとりの躰しか知らぬ女は、たちまちにもって行かれてしまう。忠吾、お前も気をつけるがよい」

と、長谷川平蔵が、

「そのうちに、竹内が危い綱わたりをするようになったので、おりつは、たまりかねて、逃げ出す機《とき》をねらっていたのであろう。だが、なかなかに竹内は目をはなさぬ。あの日に、波切不動の茶店へ逃げることにしたのは、同じ日に燕小僧が竹内を訪ねて来ることになっていたからじゃ。酒を出して、二人が盗みの相談をしている隙に、波切不動へ逃げるつもりだったそうな。藤田彦七の許へ届けた手紙は、近くの百姓女にたのんだらしい。一人では、とても逃げきれぬとおもったのだろう」

ところが燕小僧は、一日早く竹内宅を訪れた。

この日、音羽町三丁目で表向きは仏具《ぶつぐ》屋をしている盗賊仲間を訪ねたので、

(一日早いが、ついでに寄ってみるか……)

と、竹内重蔵を訪ねる途中で、長谷川平蔵に見つけられたのである。

翌日。

木村忠吾は、約束どおりに、伝通院の中門前で藤田彦七を待った。

そうしておかぬと、こちらの正体を隠しておくことにならない。

すると、藤田の代りに〔鮒宗〕の亭主の宗六がやって来て、

「実は木村さん。とんでもねえことになってしめえました」

「どうした?」

宗六は、藤田の妻が盗賊改方の手で引き渡されたいきさつを語り、

「ともかくも、私のところの二階へあずかることにしましたが、いまね、藤田さんは頭がどうにかなっちまっているので、代りに私がまいったようなわけで……」

「ふうん、さようか……」

おもしろくもなさそうな忠吾へ、宗六が、

「これからが大変でござんすよ」

ためいきをついた。

「木村さんも、ずいぶんと、お骨折りでござんしたねえ」

「ふうん……」

「ま一つ、気分を変えて、そこいらで一杯やりましょう、いかがで？」

「いいな」

にんまりと、機嫌を直した忠吾が、

「よし。馳走になろう」

「さ、まいりましょう」

藤田彦七が、わが子のお弓と後妻のおみねを捨てて、鮒宗の二階へ匿《かくま》っていた先妻のおりつと共に行方知れずとなったのは、それから二カ月ほど後のことであった。

雪《ゆき》の果《は》て

一

「いや、そんなつもりで立ち寄ったのではないのだ。このようにされては、まったくもって、その……」

しきりに遠慮の口舌《こうぜつ》をふるいながらも、盗賊改方の同心・木村忠吾は、

「まあ、旦那。そんなことをおっしゃるものじゃあございませんよ。すぐに、亭主《やど》がもどりますから、さあ、お一つ、おあがりなすって下さいまし」

と、〔鮒宗《ふなそう》〕の女房が、有無《うむ》をいわせずに忠吾の手へ盃をもたせ、酌をしてくれるものだから、とても我慢がしきれるものではない。

かの盗賊・燕小僧《つばめこぞう》と浪人・竹内重蔵《たけうちじゅうぞう》の処刑もすんで、年が明けた正月も末の或日の

午後であった。

竹内浪人の手から救われたおりつは、人の善い藤田彦七《ふじたひこしち》の手へもどったわけだが、何しろ藤田浪人は、先妻のおりつが自分とむすめのお弓を捨て、竹内浪人と共に失踪した後に、おみねという後妻を迎えている。

まさか、そこへ、おりつを連れて帰るわけにはまいらぬ。

そこで藤田は、親しくしている〔鮒宗〕の亭主・宗六《そうろく》夫婦にたのみ、一時、おりつを匿《かくま》ってもらうことにした。

(藤田も、さぞ、困っているだろうな……)

忠吾は苦笑いをしながら、年を越した。

湯島の煮売り酒屋〔治郎八〕へ行けば、藤田の顔も見られるだろうとおもいながら、忠吾は病床にあって年を越さなければならなかった。

あの事件があって間もなく、忠吾は風邪をこじらせ、高熱を発して、一時は、

「どうも、木村は危いらしいぞ」

「やかましいのが消えてしまうかとおもうと、いささかさびしいような気もする」

同僚の同心たちが、そんなことを語り合ったほどに重態だったのである。

長谷川平蔵は、みずから、亡父の旧友で表御番医師《おもてごばんいし》の井上立泉《いのうえりゅうせん》邸へおもむき、

「ぜひとも……」

と、忠吾の診察を請うた。

表御番医師といえば、幕府から二百俵の扶持《ふち》をもらっている医官なのだ。

これが、一同心の診察をするなどとは、聞いたこともない。

それだけに忠吾は、

(ああ、長谷川様は、まだ、おれを見捨ててはおられぬ)

感激は、非常なものであった。

忠吾の病気は、いまでいう肺炎だったのであろう。

井上立泉の治療がよく、十二月の末には、

「もはや、心配なし」

と、いうことになった。

そして正月の半ばに床ばらいをし、役宅へ出勤するようになったが、

「当分は、外へ出てはならぬ」

というので、溜部屋《たまりべや》で書類の整理などをさせられていた。

そして、今日。

はじめて、市中見廻りに出ることをゆるされたのだが、与力・佐嶋忠介《さじまちゅうすけ》から、

「日が暮れる前に、かならず役宅へもどれ」

と、念を押されている。

そこで、遅くなってはならぬとおもい、気にかかっていた藤田彦七の様子を見に行くと、坂本裏町の藤田の浪宅は空家になっているではないか。

（こりゃ、どうしたことだ……？）

近所で聞くよりは、近くの坂本四丁目の〔鮒宗〕へ行ったほうが早いとおもい、すぐさま駆けつけると、

「それが旦那、とんだことになりましてねえ」

宗六の女房が、忠吾を二階の小座敷へあげて、

「実は、藤田の旦那が、前の御新造《ごしんぞ》といっしょに、どこかへ逃げてしまったのでございますよ」

「えっ……ほんとうかね？」

「ほんとうも何も、可哀相なのは後妻に入ったおみねさんですよ」

「そりゃあそうだ。それで、藤田さんのむすめは？」

「おどろくじゃありませんか。置き去りにして逃げたのですよ。てめえたちがこしらえた子を、ねえ」

と、女房は憤懣《ふんまん》やるかたないといった口調で、

「私どもは、藤田の旦那を見そこなってしまいましたよ」

「で、後妻《のちぞえ》と、むすめは？」

後妻のおみねは、藤田彦七のむすめで、年が明けて十歳になったお弓を連れ、実家へもどっているそうな。

おみねの実家は、この近くの金杉上町の通りにある米屋の孫造《まごぞう》方だ。

「あ……こりゃあ、たまらぬ」

盃の酒をのみほして、木村忠吾が嘆声を発した。

「ど、どうなさいました？」

「病後、はじめてのむ酒だ。たまったものではない。うまいなあ」

「では、御病気だったので……」

「さよう」

「道理で、この前、お見えになったときよりも、窶《やっ》れていなさるとおもいましたよ。旦那へもお知らせしようとおもったのですが、何しろ、何処にお住いなのか、わからなかったもので……」

長谷川平蔵に命じられて燕小僧一件に顔を出さなかった木村忠吾を、〔鮒宗〕の夫婦は、いまだに、(どこかの浪人さん……)

だと、おもいこんでいる。

行方知れずとなった藤田彦七にしても、これは同様であった。

「さあ、もっと、おあけなさいまし」

「すまぬなあ」

そこへ、亭主の宗六が帰って来て、

「おや、木村の旦那。お見えになるのを待っていたのですよ」

「いま、聞きましたよ。藤田さんは行方知れずだとな」

「困ったもんで……」

いいさした宗六が女房のお千代へ、

「もっと、増《まし》な肴はねえのかい」

「いえさ、お前が帰ってからとおもったものだから……」

女房が階下へ去るのを見送ってから、宗六は忠吾へ顔を寄せて、

「うちの女房《ばばぁ》は口が軽いから、まだ聞かせてはいませんがね」

「何を？」

「実は旦那。三日ほど前に、私ぁ、藤田さんを見かけたのでござんすよ」

「ほ、ほんとうかね」

二

いまは、坂本四丁目で、蜆汁《しじみじる》と川魚で酒をのませたり、飯を食べさせたりする店の亭主になりきっている宗六だが、兄の万右衛門《まんえもん》は、神田の鍋町《なべちょう》の袋物問屋・和泉屋《いずみや》という大店《おおだな》の主人なのである。

もっとも、万右衛門は和泉屋の養子に入ったのだ。

万右衛門・宗六の兄弟は、印判師《いんばん》をしていた千五郎《せんごろう》の子に生まれ、父親が大酒のみで、しかも病気がちだった為に、亡母も兄弟も苦労のしつづけだったという。

兄の万右衛門は八歳のときに、池ノ端仲町の小間物問屋・日野屋《ひのや》勘蔵《かんぞう》方へ奉公に出た。

そして二十二歳の折に、その実直な性格を見こまれ、日野屋の親類すじにあたる和泉屋の、ひとりむすめの聟《むこ》養子に入った。

運もよかったのだが、大変な出世といわねばなるまい。

それだけに万右衛門は酒も煙草もやらず、女も、妻のお里のほかには一人も知らぬ。

この兄に引きかえ、弟の宗六は、実母が病死した後に入って来た父親の後妻にいじめぬかれたものだから、当然、曲がった道に逸れてしまい、

「まあ、人殺しのほかは、どんなことでもやりましたがね」

と、これは、いつだったか、藤田彦七にも洩らしている。

兄の万右衛門のところへも、何度か金を強請《せび》りに行き、大店の主人とはいえ養子だけに、万右衛門も、この弟には困りぬいたらしい。

それがどうやら、お千代という女房をもらい、小店《こみせ》ながら繁昌をしている〔鮒宗〕の亭主となってからは、

「兄貴も、また、出入りをさせてくれるようになりましてねえ」

とのことだ。

その万右衛門の手紙を、和泉屋の小僧が〔鮒宗〕へ届けに来た。

見ると、

「明日の八ツごろ、柳橋北詰の船宿、三好屋へ来てもらいたい」

と、ある。

そこで宗六が、いわれるままに、三好屋へおもむいたのが三日前ということになる。

「宗六。いそがしいのに、わざわざ来てもらってすまない」

大川（隅田川）に面した二階座敷で、すでに、和泉屋万右衛門は宗六を待っていた。

「こんなところへ呼び出して、いったい、どうなすったんで？」

「ま、宗六。聞いておくれ」

兄夫婦には、二人の子がある。

一は、長男の彦太郎《ひこたろう》。一は、長女のお房《ふさ》だ。

その、和泉屋の跡つぎである彦太郎が、どうしても家業をつぎたくはないと、いい出したのだそうな。

「家業をつがずに、どうするつもりなんで？」

「さ、それが宗六。血は争えないものだねえ」

「と、いいなさるのは？」

「おどろくじゃないか、彦太郎は、印判師になるといい出したのだよ」

「へへえ……」

「知ってのとおり、まだ十八だが、いい出したらきかないのだ」

和泉屋の近くに、

〔御宝印判司　上田佐兵衛《さへえ》〕

の金看板をかかげた印判師がいる。

これはもう、武家屋敷へも出入りをしているほどの印判師だから、兄弟の亡父・千五郎とは、格がちがう。

彦太郎は、この上田佐兵衛の孫の由次郎《よしじろう》と幼友《おさなとも》だちゆえ、行ったり来たりするうちに、印判師の仕事ぶりを見つづけてきたわけだ。

そして、いま、

「どうしても、印判師になりたい」

と、いう。

「なるほどねえ」

「感心をしていては困る。彦太郎は叔父のお前に以前から懐《なつ》いている。そこで一つ、お前から何とかうまく、彦太郎が私の跡をつぐように説きふせてもらいたいのだ」

なるほど、こうしたはなしだけに、家族や奉公人がいる自分の家では相談がしにくかったのであろう。また、養子の万右衛門は妻のお里に頭があがらぬところもある。

「こんなことが、お里に知れたら、大変なのだよ」

と、万右衛門はいった。

「そうでしょうねえ」

「そうだとも」

うなずきながら宗六は、家つきむすめに育った嫂《あによめ》のお里の、青ぐろく浮腫《むく》んだ顔や、

(煮えたのか煮えないのか、わからねえ……)

ような言葉づかいをおもい浮かべていた。

（兄貴も、あんな女ひとりきりしか知らねえというのだから、おもえば気の毒な人だ。いや、知らねえということほど倖せなことはねえのかも知れねえ。現に藤田さんの御新造がそうだ。亭主のほかに男を知ったがため、つまりは、ああした事になってしまったのだからな）

自分は口にしないが、万右衛門は宗六のために酒を取り寄せてくれ、

「ときに、藤田先生の行方は、まだ知れないのかえ？」

「そうなんで……」

「困ったねえ」

藤田彦七は、宗六の口ききで、和泉屋の奉公人たちへ月に四、五度《た》び、手習いの稽古をしてやっていたのである。

「いい先生なので、みんな、よろこんでいたのだが……彦太郎も大変に心配をしている」

「そうですか……」

その日は、ばかに暖かかったので、宗六が、何気なく窓を開けたとき、目の前の川面《かわも》を行き過ぎる小舟の上に、藤田彦七の姿を見たのだ。

その小舟には、船頭のほかに、がっしりとした躰《からだ》つきの浪人が乗ってい、

「その浪人の傍《そば》で、藤田さんが、何だか、がっくりとしたように、うなだれていたので

「……」

「ほう……」

おもわず、木村忠吾は身を乗り出した。

「そこでね、こっちは窓から顔を出して、藤田さぁんと大声に呼んだものです」

「ふむ、ふむ……」

すると藤田彦七が、はッとして、宗六がいる船宿の二階を見た。

そのとき大男の浪人が、藤田を自分の躰の陰へ隠すようにして、

「こっちを、物凄い目つきで睨みつけたかとおもうと、船頭に何かいったら、船頭め、もう気が狂ったように漕《こ》ぎ出しゃあがって、見る見るうちに……」

川面を下り、遠ざかって行ったらしい。

風もなく、暖かい日和《ひより》だったので、大小の舟が大川に行き交《か》っていたし、

「舟を出してもらって後を追おうにも、到底、間に合いませんでしたよ」

万右衛門が、びっくりして、

「どうした、宗六」

と、立ちあがって来たが、宗六は茫然と、川面の彼方を見つめたままであった。

「ですがねえ、木村の旦那。だいぶんに離れてはいたが、私は、あの大男の浪人の顔をおぼえていますよ。こっちの眼に……」

左の眼に、浪人は灰色の布でこしらえた眼帯のようなものをかけていたというのだ。

「片眼か……」

「または、傷でも受けていたのかねえ。とにかくその、右の眼一つで、こっちをぎょろりと睨みやぁがったのだが、その恐ろしいことといったら、いま、おもい出してもぞっとしますよ」

「ふうむ……」

「どうも、おかしい」

宗六は両腕を組み、

「あのときの、藤田さんの様子をおもい出すたびに、そうおもうんですがね。何か、困ったことになっているのではねえのかと……」

「藤田さんがかね？」

「へえ」

三

夕暮れに役宅へもどった同心・木村忠吾は、〔鮒宗〕の宗六から耳にしたことを、一応、長官《おかしら》へ報告をしておいた。

長谷川平蔵は、この日、市中見廻りには出なかったらしく、居間へ引きこもり、何やら書きものをしていたが、

「さようか」

うなずいたのみで、格別のことはなく、

「それで、藤田の後妻《のちぞえ》とむすめは、恙《つつが》なく暮しているようなのか？」

「はい。帰りに、ちょっと立ち寄ってみましたが、おもいのほかに元気にしておりました。むすめのほうは、もうすっかり、後妻のおみねに懐《なつ》いているようでございます」

「さようか。よし、下れ」

筆を走らせつつ、平蔵は忠吾を見向きもせずにいった。

何となく、こころさびしく、忠吾は四谷の組屋敷へ帰って行った。

以前ならば、

「ま、酒の相手をしていけ」

の、一言があったはずではないか。

（おれは、どうやら、長谷川様に嫌われてしまったらしい。このごろは、細川峯太郎がすっかりお気に入っているらしいものな……）

ところが、翌朝。

木村忠吾が清水門外の役宅へ出勤すると、門番の富五郎が、

「もし、木村さん」

呼びとめて、長谷川平蔵の言葉をつたえた。

市中見廻りの供を申しつけるから、門番小屋で待機しているように、とのことである。

忠吾は、急いで溜部屋《たまりべや》へ行き、袴をぬいで浪人姿となり、編笠をつかむと門番小屋へ

引き返した。

例の、これも着ながしの浪人姿で、平蔵があらわれたのは、それから間もなくのことだ。

「忠吾。ついてまいれ」

「はっ」

長官と共に、市中見廻りをするのは、まったく久しぶりのことであった。

神田橋御門前まで来て、客を待っている二挺《にちょう》の町駕籠《まちかご》を見出すや、平蔵が、

「忠吾。お前も乗れ」

「いえ、と、とんでもないことでございます」

「病後ゆえ、かまわぬ。さ、乗れ」

「なれど、それは……」

「ぐずぐず申すな。お前らしくもないではないか。さ、早くせぬか」

「は……」

平蔵が駕籠へ身を入れて、

「深川の扇橋《おうぎばし》までやってくれ」

と、駕籠舁《か》きへいいつけた。

あわてて忠吾も、後ろの駕籠へ乗った。

駕籠舁きが垂れを下した。

大刀を抱えて、駕籠にゆられつつ、

「病後ゆえ、かまわぬときた」

つぶやいてみたとき、忠吾の両眼から熱いものがふきこぼれてきた。

(おれも、気が弱くなったものだなあ……)

このことである。

深川・石島町の船宿《ふなやど》〔鶴や〕の亭主は、火付盗賊改方の密偵の中でも古参の、小房《こぶさ》の粂八《くめはち》だ。

駕籠を下りた長谷川平蔵は、忠吾をともなって〔鶴や〕へ入り、二階の奥座敷へ通ると、挨拶にあらわれた粂八へ、

「昨日、妙なことを耳にはさんだのでな」

「さようで……」

うなずいた平蔵が忠吾へ、

「昨日、〔鮒宗〕で聞いたことを逐一、粂八へ語るがよい」

と、いった。

(やはり、お忘れではなかった……)

木村忠吾の感激は、ここにきわまったといえよう。

忠吾が語り終えたのち、平蔵が、

「どうだ、粂八。その左の眼を隠していたという大男の浪人に、こころ当りはない

か？」

微笑を浮かべて問うた。

「もしや、あの……？」

条八は笑うどころではなく、顔色《がんしょく》が引きしまっている。

「お前、知っているのか？」

と、忠吾。

「いえ、はっきり、そうだとはいえませんがね」

小房の条八は、むかし、野槌《のづち》の弥平《やへい》という盗賊の手下《てした》であった。

野槌の弥平は、長谷川平蔵が盗賊改方長官に就任して初めて捕えた盗賊であり、その折、共に捕えた小房の条八を、

（こやつ、見どころがある）

と、看て取った平蔵は、残虐の盗賊・血頭《ちがしら》の丹兵衛《たんべえ》の探索に、はじめて条八を密偵として起用したのである。

以来、条八は、それこそ一命を賭して平蔵のためにはたらいてきた。

で……。

これは何年も前のことだが、条八が平蔵の酒の相手をしながら、盗賊のころのおもい出ばなしをしたことがある。

そのはなしの中に、

「こいつは、浪人あがりの盗人《ぬすっと》で、渡辺八郎《わたなべはちろう》というのがおりました。凄腕の、独りばたらきでございまして、野槌の弥平も、二、三度、たのんだことがございます」

当時の渡辺八郎は、二十七、八歳であったそうな。

押し込み先の人びとを殺すとき、渡辺は右手の指を相手の喉に当てがい、声も出させずに殺してしまう。

喉をしめるというのではなく、指でもって、喉の急所を、

「どうにかするのでございましょうが、それこそ、瞬《まばた》きをする間に息をとめてしまうのにはおどろきました」

と、粂八は語っている。

「はじめに、野槌の盗みばたらきを助《すけ》に来ましたときは、両眼《りょうめ》とも、ちゃんとしておりましたが、最後のときに、左の眼へ布をかけておりましたので……」

粂八が、

「渡辺さん。そっちの眼をどうなすった？」

尋ねると、渡辺八郎がにやりとして、

「ほかのやつならいわぬが、お前さんだからいってもよい。ただし、他言無用」

「わかりましたよ」

「これは、おれの恥をさらすことだからな」

「へへえ……？」

「捨てようとした女が怒って、おれが眠っているとき、畳針《たたみばり》を突っ込みやぁがった」

「えっ……」

「喉へ突き通すつもりだったらしいが、おれも女の気配に気づき、咄嗟《とっさ》に顔をうごかしたものだから、この左の眼へ畳針が入ってしまったのだ」

「ふうむ……それで、女はどうしましたね」

「ふふん……」

鼻で笑って渡辺八郎が、右手の指をひくひくうごかして見せたときの、

「あのときの顔は、忘れられるものではございません。大男なんでございますが、どうも蝮《まむし》のような眼つきをしておりまして……」

なのだそうな。

そのことを長谷川平蔵は条八から聞いていたので、木村忠吾が語った〔鮒宗〕の亭主のはなしを耳にしたとき、

（もしやして……）

と、おもったのだ。

「これは、長谷川様……」

小房の条八は、ほとんど断定的にいった。

「舟の中にいたという片眼の浪人は、渡辺八郎にちげえねえと存じます」

と、条八はいった。

平蔵も同感であった。

なればこそ、こうして、粂八を訪ねたのである。

四

小房の粂八の記憶に残っている浪人盗賊・渡辺八郎の人相書は、翌日のうちにできあがった。

「これを、〔鮒宗〕の亭主に見せてはいかがでございましょう？」

と、木村忠吾がいい出たのへ、長谷川平蔵は、

「さすれば、お前の正体が知れてしまうではないか」

「なれど、こうなったからには、いたしかたもないのでは……」

「いや、待て。いましばらくは、お前が一介の浪人・木村忠太郎になりすましていたほうがよい」

「さようで……」

「そのかわり、〔鮒宗〕や、藤田の後妻とむすめがいる米屋から目をはなさぬようにいたせ」

「はい」

「これを取っておけ」

平蔵が出した一両小判に、忠吾が、びっくりして、

「このようなものを、何故……」

「〔鮒宗〕へ行くたび、ふるまい酒をのむわけにもまいるまい」

それにしても、一両とは大きい。

長官から、このようなあつかいを受けるのも、久しぶりの忠吾であった。

小房の粂八は、できあがった渡辺八郎の人相書をふところにして、日本橋の堀江六軒《ほりえろくけん》町《ちょう》にある船宿〔加賀《かが》や〕へおもむいた。

思案橋《しあんばし》のたもとにある加賀やには、いまも老船頭の友五郎《ともごろう》が住み込んでいる。

むかしは〔浜崎《はまざき》の友蔵《ともぞう》〕と名乗り、大盗・飯富《いいとみ》の勘八《かんぱち》の片腕だったという友五郎は、勘八亡きのち足を洗い、一介の船頭となった。

この友五郎が〔盗《つと》めの血〕が熱くなるのを押えかねて、大胆不敵にも盗賊改方の役宅へ潜入し、長官・長谷川平蔵の寝間から、平蔵愛用の銀煙管を盗み出した一件は、あの〔大川の隠居〕の一篇にのべておいたが、以来、友五郎は平蔵の信頼も厚く、盗賊改方のために、

「陰ながら……」

はたらいているといってよい。

盗賊の世界で、むかしは、

「それと知られた……」

ほどの友五郎だけに、何となく、

「小耳へ入《へえ》りましたので……」

と、役宅へ知らせてくる情報も、平蔵にいわせると、

「捨てたものではない」

のである。

友五郎は盗賊だったころ、小房の粂八とも親密なつきあいがあった。

「ま、そういうわけなのだよ、とっつぁん」

と、友五郎が出してくれた小舟で大川へ出てから、小房の粂八は藤田彦七一件について語り、例の人相書を出して見せた。

「とっつぁん。こいつの顔におぼえはおあんなさるか？」

「さてなあ……」

長谷川平蔵の剣友・岸井左馬之助《きしいさまのすけ》が、

「日増《ひま》しの焼竹輪《やきちくわ》……」

のようだと評した友五郎の風貌は、いささかも変っていない。

「あれは長生きできる躰じゃ」

と、これは平蔵が折紙をつけた友五郎の、細身の日に灼けつくした躰は六十をこえて尚、おとろえを見せぬ。

「この人相書の浪人を乗せた舟が、どこから出たものかということよ。なあ、粂八どん」

「もしも、どこぞの船宿から出たものなら、そのうちに見当がつくのではないだろうか？」

「そうさな……」

「とっつぁんは毎日、大川へ出なさるし、船頭たちの間にも顔がひろい。いうまでもなく、私も探しまわるつもりだが、一つ、たのみますよ」

「いいとも」

「これは、長谷川様からの御手当だ。取っておいて下せえ」

粂八がわたす金包みを、友五郎は素直に受けた。

この金を、諸方の船宿の船頭たちへふりまき、情報を得ることになろう。

こうして、盗賊改方の渡辺八郎探索が開始されたわけだが、三日、四日を経て、めぼしい知らせは長谷川平蔵の耳へ入らなかった。

そして……。

木村忠吾が、病後はじめて〔鮒宗〕を訪れ、亭主の宗六から、

「藤田さんを見た……」

と、告げられた日から数えて八日目に、

「どうだね。まだ、藤田さんの行方はわからぬか？」

ぶらりと忠吾が、〔鮒宗〕をおとずれた。

いや、このところ毎日のように、密偵たちと連絡をとりながら、忠吾は坂本から金杉

界隈《かいわい》を見廻っていたのだが、〔鮒宗〕へあらわれたのは、あれ以来のことになる。

するとどうだ。

店の奥から飛んで出て来た亭主の宗六が、

「帰りましたよ。帰って来ましたよ」

というではないか。

「えっ……」

「藤田さんが、帰って来たんですよ」

「ほ、ほんとうか？」

「ほんとうも嘘もねえ。前の家《うち》にいます。いっしょに行きましょう」

「うむ。よし。だが、後妻のおみねさんと、むすめはどうした？」

「ちゃんと、引き取りましたよ」

「ほう……」

いっしょに逃げた先妻のおりつは、どうしたのか。

「逃げられたんだそうで」

と、宗六。

「いっしょに逃げた藤田を捨てたというのかね？」

「そうだといってますぜ、藤田さんは……」

「ふうむ……」

どうも、このとき、忠吾は、

(腑に落ちぬ……)

おもいがした。

「それで、お前さんが船宿の二階から、舟で行く藤田さんを見たといったのかね？」

「いいましたとも」

「そうしたら、何といった？」

「連れの浪人は、むかしの知り合いだとかで……」

「ほう……」

「ばったりと道で出合ったので、酒をのんだといってましたがね」

「変だな」

「ええ……」

と、宗六も、同じおもいらしかったが、

「そりゃ、いろいろとあったのでござんしょうよ。ですがね、木村の旦那。ともかくも帰って来たのだから、当分は、そっとしておいてやったほうがいいとおもいましてね」

苦労人らしく、宗六は、

「男と女のことだ。あまり他《ほか》から口を入れることもねえとおもって……」

「なるほど」

「どうもね、藤田さんは人が変ったように無口になっちまって、しょんぼりしています

よ」

「そうか……」

「それでも感心に、また兄貴の店《たな》へ手習いの稽古に出入りをさせてもらいたいと、私にたのみましたよ。ま、はたらくつもりではいるんでしょうが、近所の連中は、あんな、だらしのない先生のところへは、子供を手習いに行かせねえというので……」

「そうだろうな」

「さ、行きましょう。旦那から元気をつけてやっておくんなさい」

その夜になって、

「ところが、以前の坂本裏町の浪宅へ行ってみますと、藤田彦七は不在でございまして……」

と、役宅へもどって来た木村忠吾が長官へ報告をした。

「二刻《ふたとき》も待ったのでございますが、帰ってまいりません」

「見張りは残してあるのだろうな？」

「おまささんと彦十爺《とっ》つぁんが、あの辺りを……」

「ならばよし。それで、藤田は何処へ行ったというのじゃ？」

「さ、それがどうも……」

藤田彦七は、後妻のおみねへ、

「すぐにもどる」

こういっただけで、家を出て行ったそうな。

「それで、忠吾……」

「はい？」

「藤田彦七が、〔鮒宗〕の亭主の兄・和泉屋万右衛門方へ、ふたたび手習いの稽古にまいることがかなうよう、取りなしをたのんだと申すのだな」

「さようでございます」

「ふうむ……」

平蔵は、亡父・長谷川宣雄が遺愛の銀煙管へつめた煙草へ火をつけようともせず、沈黙した。

何やら、考えをまとめようとしているらしい。

向うの壁の一点を見つめたままの、平蔵の両眼へ徐々に光りが加わってくるのが、忠吾にもわかった。

ややあってのち、平蔵がいった。

「忠吾。佐嶋忠介をこれへ……」

五

翌日の午後。

木村忠吾は、坂本裏町の浪宅へ藤田彦七を訪れた。

如月《きさらぎ》（陰暦二月）へ入り、春の足音がいよいよ近づき、晴れたとも曇ったともいえぬような淡い色の空の下を歩む人びとの眉もひらいているようだ。

忠吾を見ると、藤田彦七は顔を背《そむ》けた。

「もどって来てよかったな、藤田さん」

「いろいろと、すまぬことを……」

「なに、すんでしまったことだ」

「はあ……」

茶を出した後妻のおみねも、

「御心配をおかけ申しまして……」

忠吾に挨拶をしたけれども、何となく、ぎごちない。

それは、そうだろう。

（おみねさんにしてみれば、おもしろくないことだものな）

忠吾は、おみねに同情をした。

先妻に逃げられた男の許《もと》へ後妻に入ったというのに、今度は男が先妻と出奔し、

「また逃げられた……」

というので、自分のところへ帰って来たのだ。

おみねはさておき、藤田のむすめのお弓は、父親の顔なぞ、

「見たくはありません」

　といい、おみねの実家の米屋孫造方へもどってしまったという。

　お弓は、おみねにすっかり懐《なつ》いており、おみねが父親の許へ行くことにも、反対をしてやまなかったそうだ。

　顔だちも躰つきも、ふっくらとしていたおみねなのだが、

「以前にくらべると、躰が半分になってしまいましたよ」

　と、これは〔鮒宗〕の宗六が忠吾にささやいたことだ。

　茶を出すと、おみねは台所の方へ行ってしまった。

「〔鮒宗〕の亭主から耳にしたが、和泉屋さんへ行けるようになれたようですね」

　と、忠吾。

「さよう……」

「いつから？」

「今夜からです」

「そりゃあ、よかった」

「食べて行かねばならないので……」

　藤田彦七は、蚊の鳴くような声でこたえた。

　和泉屋の手代や小僧たちへ読み書きを教えるのは、店を仕舞《しま》ってからのことだから、どうしても夜になってしまう。

以前、藤田が和泉屋へ教えに行っていたときは、そのまま和泉屋へ泊ることも少なかった。

「これは、その……まことに些少《さしよう》だが、何かの足しにして下さい」

忠吾が金一分《いちぶ》を紙に包んだものを出すと、

「と、とんでもないことです、木村さん」

「なあに、浪人は相身互《あいみたが》いだ」

「は……」

「さ、取っておいて下さいよ」

「相すまぬ。まことにもって、相すまぬ……」

藤田の声は、泣き声に近かった。

浪人暮しをしていながら、快活な性格だった藤田彦七の顔が、まるで病人のように血色を失っている。

「あまり、たよりになる男ではないが、何ぞ困ったことがあったら、私に相談をしてみて下さい」

「かたじけない」

忠吾は声をひそめて、

「前の御妻女は、いま、どこに？」

藤田は、ちからなくかぶりを振って、忠吾へのこたえとした。

ここで忠吾は、問いかけるのを打ち切ることにした。

長官からも、

「あまりにくびを突っ込んで、怪しまれてはならぬ」

と、念を入れられていたからだ。

「藤田さん。これまで、私の住居《すまい》を申していなかったが、私は本所の二ツ目にある五鉄《ごてつ》という軍鶏《しゃも》なべ屋の二階に住んでいる。何か相談事があったら、遠慮なく来て下さい。よろしいか」

これも長官と打ち合わせたことで、実は忠吾、昨夜から〔五鉄〕の二階の、相模の彦十が寝起きしている小部屋に泊り込んでいるのだ。

藤田彦七の浪宅を出た木村忠吾は、要伝寺《ようでんじ》の門前を左へ折れ、坂本の大通りへ出た。

すると、その後ろから、いつの間にか小間物の女行商の姿をした密偵のおまさが近寄って来て、振り向いた忠吾へ眴《めくば》せをし、先へ立って歩みはじめた。

おまさが忠吾をみちびいたのは、車坂をのぼり切ったところの凌雲院の前を左へ行き、上野山内の木立の中へであった。

どこかで、鶯《うぐいす》が鳴いている。

木々の枝の芽がふくらみ、土の香りが濃かった。

「おまさ、どうした？」

「旦那。要伝寺が見張り所になりましてね」

「えっ、藤田彦七の浪宅の前の、あの寺か？」

「はい」

「ずいぶんと早いことだな」

平蔵の指令で、今朝から、そうなったという。

要伝寺には、同心・小柳安五郎《こやなぎやすごろう》が密偵二名と詰めているとのことだ。

そして更に、先程、木村忠吾が出て来た細道を見わたせる坂本通りの畳屋の中二階へも見張り所を設け、ここには同心・沢田小平次が、おまさと彦十と共に入った。

「そうか……」

忠吾は、息をのんだ。

いまさらに、長官がこの事件を重く看ていることがわかったからであろう。

「おまさ。藤田彦七は、今夜から和泉屋へ手習いの稽古に行くらしい。ちょうどよかった。おれも早く、お前に連絡《つなぎ》をつけようとおもっていたところなのだ」

「さようでございますか。和泉屋のほうにも、いまごろは見張り所を……」

「そうか。それなら大丈夫だ」

「今朝から、佐嶋様が御出張《おでば》りになったと聞きました」

「それにしても、わからぬなあ……」

「何がで？」

「あの藤田が、こともあろうに渡辺八郎とかいう浪人盗賊と何故に関わり合いをもった

のか……そこが、どうもわからぬ」

「ですが旦那。たしかに渡辺八郎と決まったわけでもありますまいよ」

「それは、まあ……だが、おまさ。長谷川様は、そのおつもりで手配をなすっている。そうではないか」

「はい……」

うなずいたおまさが、

「私はねえ、旦那。もしも、その浪人が渡辺八郎なら、これはきっと、先ごろの燕小僧とのつながりがあるのかも知れないと、そうおもっているのでございますよ」

「あ……」

手を打った忠吾が、何度もうなずいた。

「長谷川様も、その見込みをおたてになったのではありませんかねえ」

燕小僧は、すでに処刑されてしまっている。

白状させるだけのことはさせたつもりだが、なかなかにしぶとい奴だったし、自分と共に盗みをはたらいた連中の名前や所在も、すべて吐き出したとはおもわれないのだ。

おりつが、藤田彦七の許を逃げ、浪人・竹内重蔵と暮すうち、竹内は燕小僧と関わるようになったのだ。ゆえに、竹内が燕小僧を通じ、渡辺八郎と知り合ったとすれば、渡辺はおりつをも知っていたといえぬこともない。

すると、

（おりつが、今度は藤田彦七を盗みの世界へ引っ張り込んだというわけか……だが、ほんとうだろうか。どうも、女という生きものはわからない）

忠吾は気味悪そうに、おまさの顔を見まもった。

「まあ、旦那。私の顔に蚯蚓《みみず》でも這っていますか？」

「い、いや、そんなことはない」

「でも、そのお顔……」

おまさが、声もなく笑い出した。

「待って……待って下さい。あなた、待って……」

双腕《もろうで》を差しのべ、おりつは声を嗄《か》らして、夫の藤田彦七へ呼びかけつつ駆けている。

漆黒《しっこく》の闇の中を必死で駆けているのだが、先を走っている夫の後姿だけは、ぼんやりと見えるのだ。

裾が脚に絡《から》まり、おりつは転倒した。

「あなた……もし、待って……」

夫が振り向き、駆けもどって来た。

「何をしている。早く起きろ」

「もう……もう、走れません」

「莫迦《ばか》!!」

それでも夫は、おりつを抱え起し、腕をつかんでくれた。

蒼ざめた夫の顔が冷汗《ひやあせ》に濡れてい、吐く息は荒かった。

「さ、早く……」

「あ、あなた……」

「逃げるのだ、早く……」

もつれ合うようにして、また、二人は闇の中を走り出した。

そのとき……。

背後で、叫び声がした。

女の、鋭い叫び声が闇を引き裂き、藤田夫婦の背後に迫って来る。

「追って来る、追って来る……」

藤田彦七が泣き出しそうに、

「お弓が、追って来る……」

「あ、あなた……」

「おのれのために……」

と走りながら藤田が、おりつを睨みつけ、

「おのれのために、かような仕儀となってしまったのだぞ」

と、詰《なじ》った。

「お、おゆるし下さいまし」

「おのれの……おのれのために……」

お弓の叫び声が近寄って来た。

おもわず、おりつは振り向いた。

少女のお弓が刀を振りかざし、物凄い速度で追いかけて来るのが見えた。

闇の中に白く浮かぶお弓の顔の、赤い口が耳元まで裂け、両眼は獣《けもの》のごとく光っている。

「お弓、ゆるして……」

これも振り向いた藤田彦七が、

「お弓。お前は……お前の二親《ふたおや》を殺すつもりなのか……」

お弓はこたえず、見る見る距離を狭めてきた。

「ま、待て、お弓……」

たまりかねた藤田が足をとめ、

「ゆるしてくれ、助けてくれ」

哀願しつつ、膝を折った。

その父親へ、物もいわずに駆け寄ったお弓が刀を揮《ふる》った。

藤田彦七の首が血飛沫《しぶき》をあげ、胴体から切り飛ばされ、宙へ舞いあがった。

「きゃあ……」

おりつは、自分が発した悲鳴で、夢から覚めた。

半身を起した、おりつの全身に脂汗がふき出ている。

(ゆ、夢だった……)

「ああ……」

呻《うめ》いて、おりつは臥床《ふしど》へ突伏した。

現実に、おりつが寝ていた場所も、闇に支配されている。

ただ一つ、板壁の小さな掛け行燈《あんどん》が、およそ四坪ほどの地下蔵《ちかぐら》に、心細く点《とも》っているのみであった。

この地下蔵へ押し込められてから、何日が経過したろう。

おりつは、もう、おぼえていなかった。

此処へ連れ込まれたときは両手を縛られていたし、布で目隠しをされていたので、何処に自分がいるのか、それさえもわからぬ。

夫の藤田彦七の行方もわからなかった。

一日置きにあらわれる片眼の、大男の浪人に、いくら尋ねても知らせてくれない。

地下蔵の天井には、切穴《きりあな》があり、重い蓋《ふた》が下されている。

切穴へは段梯子《だんばしご》が懸《か》けてあるので、一度、梯子をのぼって手をかけてみたが、とてもとても開くものではない。

上から錠をおろしてあるのだ。

日に二度、六十がらみの陰気な顔つきの老爺が食べる物を運んで来る。

石畳の上へ畳を四枚ほど敷き、屏風《びょうぶ》で囲った中で、おりつは何日もすごしてきたのである。

（ああ……このままでは、気が狂ってしまう……）

おりつは、ほとんど手入れもせぬ髪の毛を掻きむしった。

そのとき……。

切穴の口があき、大きな男の影が段梯子を音もなく下りて来た。

片眼の浪人だ。

片眼は、いつものように屏風の内へ入って来て、身を竦《すく》めているおりつの背中へまわり、声をかけることもなく両腕をのばしてきた。

おりつは、もう踠《もが》く気力も体力も失っている。

いつものように、浪人の重い躰がのしかかってくると、目を閉じているより仕方もなかった。

浪人の手がうごきはじめ、おりつの躰から衣類が剝《は》がれてゆく。

浪人の手が、おりつの乳房を、肌身を嬲《なぶ》りはじめた。

やがて、片眼の浪人の手が、足が、たくましい躰が狂暴な熱気をはらんできて、ついに、たまりかねたおりつの悲鳴が起った。

六

神田・鍋町の袋物問屋〔和泉屋万右衛門〕方を見張るために、与力の佐嶋忠介は、弓師・村井正宗《むらいまさむね》宅をえらんだ。

村井正宗がつくる弓矢は、幕臣たちの間で、かなり知られている。

三人の弟子を相手に、終日、弓つくりに熱中している村井正宗は六十前後の小柄な老人で、家族は一人もいない。

無口ではあるが非常に情が深く、いつであったか冬の日に道を歩いていて、老いた乞食《こつじき》が汚れた単衣《ひとえ》一枚でふるえているのを見ると、自分の着物をぬぎ、その場で着せかけてやり、下着一枚で我家へ帰って来たことがあるそうな。

そのとき、正宗は、ふところに財布を持っていなかった。そもそも、外出《そとで》をして金をつかうようなことは、めったにない老人だけに、財布を忘れたまま、家を出て来たのだ。

ゆえに金をあたえることができなかったので、着物をあたえたのであろう。

こうした人柄を、近辺で聞き込んだ佐嶋与力は、ためらうことなく、弓師の家を見張り所にえらんだ。

「どのようにも、お使い下さるよう」

佐嶋のたのみを聞くや、村井正宗は、ただちに承知をして、

「弟子たちは、いずれも口がかたい者なれば、御心配はありませぬ」

と、いった。

そこで佐嶋は、同心筆頭の酒井祐助《さかいゆうすけ》に岡村啓次郎《おかむらけいじろう》・松永弥四郎《まつながやしろう》の二同心。密偵の庄《しょう》吉《きち》・元次郎《もとじろう》を、弓師の二階に設けた見張り所へ送り込んだ。

これだけ念を入れたのも、長官・長谷川平蔵の勘ばたらきを、佐嶋が重んじたからであろう。

まだ、確認したわけではないが……。

先妻おりつと共に逃げた藤田彦七が、

「人が変った……」

ように窶《やつ》れ、陰鬱な男となってしまい、それなのに帰るや否や、〔鮒宗〕の宗六にたのみ、ふたたび和泉屋への出入りが適うようになったという。

平蔵にいわせるなら、

「そこが、おかしい」

のである。

もしも、藤田彦七と共に小舟に乗っていた片眼の浪人が盗賊の渡辺八郎ならば、である。

しかも、おりつは、盗賊・燕小僧を知っている。

藤田が出奔《しゅっぽん》して後の事情は知らぬけれども、

(もしやすると、渡辺八郎に脅されて、藤田彦七は和泉屋への押し込みの手引きをする

つもりなのではあるまいか……）

平蔵は、そう感じた。

そして、藤田の先妻おりつは、渡辺八郎に人質として奪われているのではないか……。

「おれのいうことを聞かぬと、おりつを返さぬ」

あるいは、

「殺す」

と、渡辺に脅され、仕方なく藤田は〔引き込み〕の役目をつとめようとしているのではあるまいか……。

この長官の推理に、佐嶋与力は、

「いかさま……」

ことごとく、同感であったといってよい。

さて……。

藤田彦七は、坂本裏町の浪宅へ木村忠吾が訪ねて来た日の夕暮れ前に、和泉屋万右衛門方へあらわれた。

これを尾行して来たおまさを見つけて、密偵の庄吉が見張り所から外へ飛び出して来た。

「おまささん。こっちだ」

「あ……見張り所は？」

「そこの弓師の二階ですよ」

「いま、和泉屋へ入って行った浪人を見なすったか？」

「見たとも。あれが例の藤田彦七ですかえ？」

「そうなんだよ。では、顔をおぼえてくれたね、庄さん」

「たしかに見とどけましたよ」

「それじゃあ、後は、たのんだよ」

「ようござんす」

弓師の二階へ庄吉がもどると、見張りの同心・密偵たちも、和泉屋の通用口から入って行った藤田彦七を見ていて、

「どうも、あれらしい」

と、推察していた。

「やはり、そうか」

「はい」

「よし。油断するなよ」

例によって托鉢坊主《たくはつぼうず》の変装をしている松永弥四郎と庄吉が、外を見廻るために出て行った。

夜に入った。

となり近所の目があるので、出入りには、よほど気をつけねばならない。

「まさか、盗賊どもの押し込みが、今夜ではあるまいな？」

と、酒井祐助が不安そうにいった。

「ですが、藤田浪人が盗賊どもと関わり合っているという、たしかな証拠はあがってい
ないのではありませんか」

「それは、そうなのだが……」

「なあに、いざとなったら、われわれだけでも……」

と、岡村啓次郎は若いだけに気負っている。

ともかくも一同、緊張した。

そして、何事もなく夜が明けた。

藤田彦七が和泉屋の手代に見送られ、通用口から出て来たのは、五ツ（午前八時）ご
ろであった。

昨夜は遅くまで、和泉屋の奉公人たちへ読み書きを教えた後に泊り込み、朝餉《あさげ》をよば
れてから帰途についたのであろう。

窓の障子の隙間から見張っていた庄吉が、すぐに気づいて、

「あ、出て来ましたぜ」

昨夜は眠っていた松永弥四郎が網代笠《あじろがさ》をつかんで立ちあがり、

「酒井さん。庄吉を連れて行きます」

「たのむぞ」

藤田彦七は、鍋町から須田町《すだちょう》へ向って行く。

両側の、大小の商舗が表戸を開け、奉公人たちが店の内外の掃除にかかっているところもあり、商売によっては、すでに客が入っている店もある。

朝の大気は、まだ冷めたかったが、そこはもう梅が咲きそろう季節になったのだから、何といってもちがう。

藤田は筋違御門《すじかいごもん》を右に見て、その上《かみ》へ架かっている昌平橋《しょうへいばし》をわたりはじめた。

神田川へ架けられた、この橋の中ほどの欄干《らんかん》にもたれていた三十がらみの町人が、橋をわたって来る藤田彦七を見るや、

「おや、旦那。これは、お久しぶりで」

声をかけながら、近寄って行くのを、昌平橋の南詰から松永弥四郎と庄吉が、たしかに見た。

このあたりは、江戸市中の中心商業地区だから、朝は朝で人通りも少くない。

町人と藤田は肩をならべて、何やらささやき合いつつ、昌平橋を渡り切った。

そのまま、藤田彦七は神田明神下の通りを北へすすむ。これは我家へ帰るための道順といってよい。

藤田と別れた町人は、筋違御門外の広場を東へ突切り、神田川沿いの道を浅草御門の方へ歩み去った。

「旦那……」

わざと離れていた庄吉が駆け寄って来て、松永弥四郎へ、

「あっしは、浪人のほうを尾《つ》けましょうか？」

「いや、待て」

松永同心は一瞬、ためらったのちに、

「藤田彦七は我家へ帰るにちがいない。お前もいっしょに来てくれ」

決断を下し、共に、件《くだん》の町人の尾行をつづけることにした。

七

この日の午後になり、松永弥四郎が清水門外の役宅へ駆けつけて来た。

昨日から、長谷川平蔵は役宅から一歩も出ていない。

突然の事態に、そなえているのだ。

平蔵は、

「松永がまいりました」

と、佐嶋忠介が知らせるや、

「これへ通せ」

ただちに居間へよびよせ、

「何としたぞ？」

松永が、藤田彦七を見捨てて、怪しい町人を庄吉と共に尾行したことをいい出るや、

「それでよし。藤田は坂本裏町の我家へもどったと、先程、彦十が知らせてまいった」

「さようでございましたか。それで安心をいたしました」

「で、どうした？」

「中《なか》ノ郷《ごう》の、横川町まで尾けましてございます」

「ほう」

かの町人は、あれから両国橋を東へわたって本所へ入り、軍鶏鍋屋《しゃもなべや》の〔五鉄〕の前を過ぎ、竪川《たてかわ》から横川沿いの道へ曲がり、中ノ郷・横川町（現墨田区横川）へ出た。

横川町は、法恩寺《ほうおんじ》の対岸の、横川のながれに沿った西河岸になっている。

このあたりは、むかし、武州《ぶしゅう》の葛飾《かつしか》郡・中ノ郷村とよばれていた。

それを貞享年間になって、幕府が江戸市中へ編入し、代地《だいち》をあたえたものである。

長谷川平蔵は、本所の父の屋敷で育ったわけだが、そのころはまだ、人家も少く、

「むかしは法恩寺さまのまわりをのぞき、いちめんの田畑で、出水《でみず》が多かった」

土地《ところ》の古老のいう面影が濃厚に残っていたものだ。

いまは人家も増えたが、それでも新開地の名残りは容易に消えず、夜に入れば辻斬りが出る、追い剝ぎが出るというわけで、人の足もはたと絶える。

むしろ、対岸の法恩寺・霊山寺《りょうぜんじ》の門前のほうがにぎやかで、人家も密集しているし、料理屋や茶店も多い。

件《くだん》の町人は、横川と北割下水《きたわりげすい》の掘割りが合する角地にある家へ入って行った。

この家は板塀がめぐらしてあり、中に、藁屋根の家が二棟ある。

松永弥四郎と庄吉が、近辺で、それとなく聞きこんだところによると、

「何でも、むかしは剣術の道場だったということでございます」

「それで、いまは？」

「いまも、その道場ということになっているらしく、剣客ふうの男たちが出入りをしているそうでございますが、木太刀の音もせぬようで……」

「なるほど。これは怪しい」

「はい」

「のう、佐嶋」

平蔵は亡父遺愛の銀煙管を手にしながら、

「これで、どうやら的がしぼれたようだ」

「はい」

松永は、法恩寺橋をわたり、対岸から、その家を観察してみた。

横川町の岸辺は、出水《でみず》にそなえて土手が築いてある。

その内側にも板塀をめぐらしてあるので、

「中の様子は、よくわかりませぬ」

とのことだ。

「よし。これは佐嶋、その横川町の家を見張らねばなるまい」

「いかさま……」

「藤田彦七の見張りは、要伝寺のみでよい。坂本の畳屋の二階の見張り所を引きはらい、沢田小平次と彦十・おまさを本所へさしむけ、大滝の五郎蔵をふくめて、手を増やすがよい」

「心得ました」

佐嶋が腰をあげ、

「松永、まいれ」

そういったとき、長谷川平蔵が、

「あ、待て」

「は？」

「おぬしは役宅に残っていてもらおうか。本所は、わしの縄張りだ。ちょっと出張《でば》ってこよう」

「いえ、それは……」

「なあに、かまわぬ。その家を、この目で見ておきたい」

「恐れ入りまする」

「溜部屋に、たれかいるか？」

「細川峯太郎と、それに先程、木村忠吾がもどってまいりましたが……」

「そうであったな。では、二人にわけをはなし、一足先に出て、五鉄で待っているよう

に申せ」

と、これは松永弥四郎に命じた。

「心得ました」

松永は、すぐに廊下へ出て行った。

その後で、平蔵が、

「佐嶋。これは急ぎばたらきになりかねぬぞ。どうじゃ？」

「はい。さようにおもわれます」

「しかるべく、手配をたのむ。与力・同心たちの連絡《つなぎ》を、な」

「かしこまりましてございます」

そこへ、久栄が茶を持ってあらわれた。

「久栄。見廻りの仕度をたのむ」

「これからでございますか？」

「うむ」

うなずいておいて、佐嶋へ、

「それにしても、藤田彦七の女房は、どこにいるのやら？」

「その、横川町の家に、閉じこめられているのではございませぬか？」

「ふうむ……」

「盗賊どものことはさておき、藤田夫婦の始末が、面倒なことになりましてございます

な」

「そのことよ」

一瞬、平蔵は沈思していたが、はっと顔をあげて、

「そうじゃ。忠吾は、まだ出ていまい。これへよんでもらいたい」

「はっ」

あわてて、佐嶋忠介が廊下へ走り出て行った。

木村忠吾は、まだ役宅を出ていなかった。

「およびで……」

と、居間へあらわれた忠吾へ、

「お前は、本所へ行かずともよい」

「何故でございます？」

忠吾の顔色が変った。

（こんなことがあるか……）

病後だからといって、いまこのとき、長官に庇《かば》ってもらうのは、心外だったのであろう。

「そのかわり、いま一度、他へ出張《でば》ってもらいたい」

「はあ……？」

「藤田彦七のところへ行き、このつぎに和泉屋へ行くのは何時《いつ》になるのか、それとなく、

聞き出してくれ」

「かしこまりました」

たちまちに、忠吾が勇躍した。

「顔色がよくないようだが……」

「いえ、大丈夫でございます」

にっこりと笑った長谷川平蔵が、

「忠吾《うさぎ》。ぬかるなよ」

「大丈夫でございます」

八

木村忠吾が、上野山下から坂本の通りへあらわれたのは、八ツ半（午後三時）ごろだったろう。

藤田彦七の浪宅へおもむく前に、忠吾は、坂本の畳屋の中二階に設けてある見張り所へ立ち寄り、同心の沢田小平次へ、

「ここの見張り所の同心と密偵たちは、すぐさま、本所二ツ目の五鉄へ向うように」

と、長官からの命をつたえることになっている。

すでに長谷川平蔵は、細川同心を従えて、中ノ郷・横川町の怪しげな家を見に出かけているし、前後して、与力の金子勝四郎《かねこかつしろう》が同心と密偵の二名を連れて横川町へおもむき、

どこかへ見張り所を設ける手筈になっていた。

(これは、いそがしくなるぞ)

病後のことゆえ、まだ、体調がととのっていず、以前にくらべると、

(たしかに、疲れがひどいような……)

と、自分でもわかっている忠吾だが、今日は、

(何でも、やってやるぞ)

気力が充実している。

畳屋の中二階には、沢田同心のほかに、折よく彦十もおまさもいて、

「そうか。それならばすぐに、五鉄へ行こう。一人ずつ、そっと裏口から入るがよいだろう」

と、沢田小平次が、

「ともかく、おれと彦十が先へ行く」

こういって、彦十をうながし、中二階から出ていった。

その後で、おまさが忠吾へ、

「それで、旦那は、これから藤田彦七のところへおいでになるんですね」

「そうだ。お前は、一足先に出て、要伝寺の見張り所へ、このことを知らせてくれ」

「ようござんす」

腰をあげたおまさが、何気なく、中二階の小窓の隙間から外へ目をやって、

「あ……」

「どうした？」

「出て来ましたよ」

「何、藤田か？」

「ええ……」

忠吾も見た。

筋向いの細道から、藤田彦七があらわれ、上野山下の方へ行くのが見えた。

そのうしろから、要伝寺に詰めている密偵の為造《ためぞう》があらわれた。

（もしやすると、気ばらしに、湯島の治郎八へでも行くのだろうか……それならば都合がいい。酒を酌みかわしながら、うまく聞き出せる）

と、忠吾は大刀をつかんで、

「おれが藤田を尾ける。後をたのんだぞ、おまさ」

「はい」

畳屋の裏口から出た木村忠吾は、大通りへ出て行き、密偵の為造に追いついた。

「あ、旦那……」

「よし。藤田は、おれが引き受ける。要伝寺へ帰っていてくれ」

「手つだわなくてようござんすか？」

「何、藤田は一杯やりに行くのだろうよ」

「さようで。では一つ、お願い申します」

「よし」

日足《ひあし》も、このところ大分にのびてきたが、そこはかとなく夕闇がただよいはじめ、急に冷え込んできたようだ。朝のうちは晴れ間もあった空が、すっかり曇ってしまっていた。

藤田彦七は肩を窄《すぼ》めるようにし、とぼとぼと歩んでいる。

(藤田も、とんでもないことに引き込まれてしまったなあ……)

それというのも、先妻のおりつが、

(助けをもとめてきたりしたからだ)

藤田彦七への同情が、おりつへの怒りに変った。

(自分《おのれ》で勝手に間男《まおとこ》をし、藤田とむすめを捨てて逃げたくせに、今度は舞いもどるや否や、後妻を迎えていた藤田をそそのかして出奔《しゅっぽん》する。どうも嫌な女だ。また、その女のいうなりになった藤田も、どうかしている……)

夫婦というものは、そうしたものなのか。

(おれなら、どうする?)

忠吾は、自問してみた。

妻のおたかが、もしも他に男をこしらえ、自分を捨てて行方知れずとなってしまう。

その後で、後妻を迎えた自分の許へ、おたかが、

「助けて下さい」

と、もどって来たらどうする……。

御役目と後妻を捨てて、

「いっしょに、逃げて下さい」

おたかが、この胸にすがりつき、泪ぐみながらうったえてきたら、どうする……。

（やはり、その……おたかといっしょに、後妻を捨てて、雲隠れをしてしまうだろうなあ……）

このことであった。

まだ、おたかとの間には子も生まれず、

「おい、木村。あまりに遊びすぎて、子種が尽きてしまったのだろう」

などと同僚の松永弥四郎に、からかわれたりする忠吾だが、

（おたかとは、到底、離れられない……）

つくづくと、そうおもう。

もっとも、おたかとおりつとでは、まったく性格がちがう。

しかし、お弓という子までもうけ、忠吾よりもずっと長い年月を、夫婦として暮しつづけてきた藤田彦七にしてみれば、

（余人には知れぬ……）

おりつとのつながりが、あるにちがいない。

忠吾は、おりつが燕小僧の一件で盗賊改方へ引き立てられて来たとき、一度だけ、その顔を垣間見ている。

そのときは、化粧も剝げ落ちたひどい顔であったが、

(これあ、藤田にはもったいない)

そうおもったほどの器量だったし、それよりも忠吾は、おりつの躰つきから、隠しても隠しきれぬ官能の声を聞いた。

盗賊改方の同心の中でも、独り身のころは、岡場所の女を相手に、

(こころおきなく……)

遊んできた木村忠吾だから、一目、おりつを見ただけで、それがわかったのであろう。

(たとえ、嫌だ嫌だとおもっている男から手ごめにあったとしても、あの女は、われ知らず……)

われ知らず、よろこびの声をあげる躰を持っている。

なればこそ、藤田彦七も、おりつと手を切り得なかったものか。

(そこへ行くと、おたかは、おれでなくては、あのような声をあげぬにきまっているからなあ。うふ、ふふ……)

おもわず、自信満々の笑いを浮かべた忠吾が、

(おや……?)

はっと、先へ行く藤田の後姿を目で追った。

藤田彦七が、正法院という寺の角を左へ曲がったからである。
左へ曲がった新寺町の通りは、上野と浅草をむすんでいる。
藤田は、湯島の〔治郎八〕へ行くつもりではないのだ。
忠吾は、治郎八へ着いてから声をかけようか、それとも上野山下あたりで、
「おう、藤田さん」
偶然に出合ったように声をかけ、
「どうです。久しぶりで治郎八へ行って、ゆっくりのもう」
こちらからさそいをかけてもよいと考えてもいた。
新寺町通りを浅草の方へ向う藤田彦七の足取りが急に変ったのに、忠吾は気づいた。
それまでは、しょんぼりとしていた藤田の姿勢に何やら気魄《きはく》のようなものが加わり、
足の運びが速くなってきはじめたのである。
(これあ、為造を帰すのではなかった……)
何かが起るような気がする。
(それにしても、藤田は、何処へ行くのだろう?)
夕暮れの通りを、忙《せわ》しげに行き交う人びとの間を縫って藤田を尾行しながら、
(こいつ、ひょっとすると……?)
忠吾の面上が、緊張に引きしまった。

九

長谷川平蔵は、本所へ入ると、先ず、なじみの軍鶏鍋屋・五鉄の二階座敷へ入り、手が揃うのを待った。

この間に、与力の金子勝四郎が横川町へおもむき、見張り所の見当をつけることになっていた。

金子与力は、間もなく五鉄へあらわれ、かの怪しい家と道をへだてた筋向いに、二百五十石の旗本・小泉豊次郎《こいずみとよじろう》の屋敷があることを告げ、

「かようになっております」

懐紙《かいし》をひろげ、矢立の筆を執って、たくみに絵図面を描いて見せた。

「町家もございますが、見通しがよくありませぬ」

「ふうむ……よし。ならば小泉屋敷にいたそう」

「では、すぐさま……」

「わしも後ほど、挨拶に出向こう」

「お願い申しあげます」

「まさかに、見張り所の件を承知せぬということもあるまいが……」

「大丈夫でございましょう」

金子は、すぐに出て行った。

すでに、同心・密偵の何名かが、横川町へ出張っている。

怪しい家からの出入りを、

「一人も見逃してはならぬ」

と、平蔵は命じておいた。

金子勝四郎が残して行った絵図面を、

「うまいものじゃな」

平蔵は、しばらく見つめていたが、何をおもったか、

「細川。これへまいれ」

「はっ」

近寄って来た細川峯太郎へ、

「駕籠を飛ばして深川へ行き、小房の粂八《くめはち》に舟を出すよう、急ぎ伝えてまいれ」

「かしこまりました」

「よいか。この図面を見よ」

「は……」

「ここが、その怪しい家じゃ。横川をへだてて東側の、このあたりが百姓地になっている。よくはおぼえていないが、たしかにそうであった。そのあたりへ、舟を着けるように申しておけ」

「はっ」

「この図面を持って行け」

細川は、すぐに飛び出して行った。

五鉄の亭主の三次郎が、酒を運んであらわれ、

「みんな、出はらってしまいましたね」

「間もなく、また、新手《あらて》がやって来る。いろいろと面倒をかけるが、たのむぞ」

「どんなことでも、いいつけて下さいまし」

小女《こおんな》が、火桶《ひおけ》へ火を入れに来た。

「冷えてきたのう」

「春先には、こんなことがよくございますよ。昨日なぞ長谷川さま。板場へ入《へえ》っていて汗をかいたほどで」

「そうだ。昨日は、まるで夏が来たかとおもったが……」

「ま、それほどではございませんがね」

三次郎の酌で、盃をほした平蔵が、

「ちかごろ、酒を替えたのか？」

「いかがでございます？」

「悪くねえのう」

と、若いころの言葉づかいにもどった長谷川平蔵が、

「あんまり、彦十にはのませてくれるなよ」

「心得ておりますよ」

相模の彦十は、いまも五鉄の二階の小部屋で暮している。


そのころ……。

藤田彦七は、新寺町の通りを阿部川町へ折れ、新堀川沿いの道を南へ歩んでいた。

つまり、両国橋の方へ向っているようにおもわれる。

(これは……?)

尾行している木村忠吾の胸が、さわぎはじめた。

(これは、本所へ入り、横川町の、あの怪しい家へ行こうとしているのではあるまいか?)

また、もしやすると、忠吾は自分が五鉄の二階に暮していると藤田へ告げておいただけに、

(おれを訪ねて、五鉄へ行くつもりなのか?)

とも考えられる。

ただ、ふしぎにおもったのは、阿部川町の小さな油屋で、藤田が油を買ったことだ。行燈《あんどん》に使う油だろうか。藤田が油を入れるための、容器《いれもの》まで用意してきているのに、そのとき忠吾は気づいた。

容器は大徳利《おおとくり》のようなもので、これを風呂敷へ包み、藤田は胸に抱くようにしている。

やがて、藤田彦七は両国橋を東へわたった。

(やはり、本所へ入った……)

夕闇が濃くなった。夜の闇に変りつつある。

と……。

藤田彦七は、元町の細い道を突きぬけ、回向院《えこういん》の西側にある信濃屋という小さな蕎麦《そば》屋を見つけるや、ちょっと、ためらった後に中へ入って行った。

(ふうむ……?)

どうも、わからない。

忠吾は、おもいきって後から蕎麦屋へ入り、藤田へ声をかけてみようかとおもった。この近くに住んでいると告げてあるのだから、忠吾が入って行ったところで、ふしぎではあるまい。

だが、おもいとどまった。

木村忠吾は結局、一刻(二時間)余も、信濃屋の見張りを外ですることになった。

(ああ、やっぱり為造を連れて来るのだった。そうすれば、目と鼻の先の五鉄へ連絡《つなぎ》がとれたものを……)

だが、目をはなすことはできない。

冷え込みが強《きつ》くなってくるし、腹は空き切ってくるしで、たまりかねた忠吾は回向院の茶店へ駆け込み、饅頭《まんじゆう》を買ってきて、これを頬張りつつ、見張りをつづけた。

その、たっぷりと餡の入った饅頭のうまかったこと……。

一刻余りして、藤田彦七が信濃屋からあらわれた。

信濃屋にたのみ、提灯《ちょうちん》を買ったらしく、これに火を入れたのを右手に、左手には油の入った大徳利を抱え、藤田が歩み出した。

（藤田は、夜になるのを蕎麦屋で待っていた……）

ことになる。

回向院の北側の道を、藤田はまっすぐに東へすすむ。

二ツ目の裏通りを過ぎて、尚もすすむ。

これで、藤田が忠吾を訪ねようとしているのではないことが、はっきりとわかった。

（すると、やはり、あの横川町の家へ行くつもりだ）

五鉄へ駆けつけようかとも考えたが、おそらく、いまごろは中ノ郷・横川町のあたりには同心や密偵が出没しているにちがいないとおもい直し、忠吾は、先へ揺れうごいて行く藤田の提灯へ目を据え、尾行をつづけることにした。

十

（どうして……どうして、こんなことになってしまったのか……）

蕎麦屋を出た藤田彦七は、亀沢町《かめざわちょう》の角を左へ折れ、御竹蔵《おたけぐら》の長い塀に沿って歩みつつあった。

片眼の浪人盗賊・渡辺八郎の強制によって、和泉屋万右衛門方への押し込みの手引きを、

「やむなく……」

藤田彦七は、つとめることになった。

これは、長谷川平蔵や小房の粂八が推察したように、渡辺八郎と燕小僧の関係から起ったことではなかった。

この年の九月半ばごろから、鍋町の和泉屋の前へ、夜ふけになると、荷売りの蕎麦やがやって来るようになった。

鍋町のみならず、商舗が軒をつらねる町すじには、夜ふけになると蕎麦、しる粉などの荷売りなどが其処此処《そこここ》にあらわれる。

店を仕舞《しま》った奉公人たちが外へ出て来て、寝る前のたのしみをするのである。

番頭などが、

「私にも一つ、熱いのをたのむよ」

こういって、小僧に蕎麦をふるまうこともある。

和泉屋の前へ出るようになった蕎麦やは四十がらみの、いかにもおだやかな男で、価《あたい》はおきまりの十六文だが、蕎麦の量も多いし、うまい。

「先生もひとつ、おやりなすって下さいまし」

和泉屋の、いちばん若い番頭が、奉公人たちへ読み書きを教えた後の藤田彦七へすす

めるものだから、

「さようか。では、仲間入りをしようかな」

藤田も外へ出て、蕎麦をたのしむようになったのだ。

そのうちに、蕎麦売りの男とも口をきき合うようになった。

おりつを引き取り、〔鮒宗〕の二階へ隠してのちも、二、三度、藤田は夜ふけの蕎麦を口にしている。

そして、おりつと逃げた。

おりつがもどって来ると、どうしても後妻のおみねを抱く気にはなれなかった。

鮒宗の裏二階の小部屋で、声をかみころしながら、あわただしくおりつを抱いたとき、

(ああ……やはり、もう、おりつとは別れられぬ)

と、藤田はおもいきわめた。

何事にも従順で、むすめのお弓との間もうまく行っている後妻のおみねに感謝をしていた藤田彦七だが、夜の臥床《ふしど》へ入ったときは、となりの部屋に寝ているお弓に気がねをしてか、おみねは、ほとんど反応をしめさなかった。

それにくらべると、おりつのほうは、自分が生んだお弓のことなど、

「まだ子供ですから、何もわかりはいたしませんよ」

こういって、むしろ、藤田があわててたしなめるほどの狂態をしめすことがあったものだ。

そうした夜の翌日は、お弓のきげんがよくなかった。

三つ四つのころならともかく、女の子も六つ七つとなれば、

「よほどに、気をつけぬと……」

藤田がそういっても、おりつは笑って、とりあおうともしなかった。

さて……。

「おみねさんには申しわけありませぬが、いったん、どこかへ逃げ、折を見て、お弓を引き取ればよいのではございませんか」

しきりに、おりつがすすめるし、藤田彦七も、ついに、その気になり、しめしあわせて或日の朝、下谷の広徳寺《こうとくじ》の境内で落ち合い、

「どこへ、まいりましょう？」

「そうだな。昨夜《ゆうべ》も考えたのだが……とりあえず、深川へ逃げよう。どうだ？」

「はい。何事も旦那さまのおもいどおりに……」

「よし」

というので、境内を出たところで、あの荷売り蕎麦やの男に、ばったりと出合ったのである。

男の名は、吉兵衛《きちべえ》といった。

「おや。和泉屋の先生じゃあございませんか」

と、吉兵衛が声をかけてきた。

いまにしておもえば、藤田彦七は、ずっと前から吉兵衛に見張られていたようだ。

「住む場所を探しているのだ」

苦笑しながら、藤田はいった。

「さようでございますか。私でよければ、おちからになりましょう」

吉兵衛がいい出たのをさいわいに、藤田は、

「たのむ」

といった。

吉兵衛を人の善い蕎麦売りだと、信じきっていたのだ。

吉兵衛は、すぐさま、

「知り合いのところに、一部屋あいております」

こういって、藤田とおりつを、ほかならぬ中ノ郷・横川町の〔怪しい家〕へ連れ込んだ。

そこへ、渡辺八郎があらわれた。

とたんに、吉兵衛の態度が、がらりと変った。

藤田彦七は、片眼の渡辺八郎に叩き伏せられ、なぐりつけられ、当身をくらって気を失ってしまった。

その間に、おりつは何処かへ拉致《らち》されてしまったのである。

気がついたとき、藤田は手足を縛りつけられていた。

「悪いことはいわねえ」

と、蕎麦売りの吉兵衛がいった。

「こっちのいうことを聞いてくれりゃあ、御新造も返してさしあげましょうよ。その上、金五十両が手に入る。どうです、先生。こんな、いいはなしはねえとおもうがね」

つまり、藤田が和泉屋へ行っているときの夜ふけに、内側から潜戸《くぐりど》を開けてくれればいいというのだ。

そして藤田は、和泉屋の内部の様子や、家と店の間取りも、渡辺八郎へ洩らしてしまっている。

(おりつを取り返さぬことには……)

どうにもならぬ。

盗賊どものいうなりに従うよりほかはなかった。

坂本裏町の家へもどり、ふたたび、和泉屋へ出入りをするようにしろと命じたのも渡辺八郎であった。

仕方がない。藤田は恥を忍んで後妻とむすめの許へ帰った。むすめのお弓が藤田の顔を見ようともせず、後妻の実家で暮しつづけているのが、何よりも藤田には辛かった。

一度、横川町の家へ、

「ともかくも、妻を返してもらいたい」

と、談判にいったことがある。

談判にもならなかった。

片眼の渡辺八郎が、せせら笑って、

「お前は、どうして、そう莫迦《ばか》なのだ。女房を殺されてもいいのか」

相手にもしてくれぬ。

柳橋の船宿の二階から、〔鮒宗〕の宗六が、大川を下る舟の中の藤田彦七を見たのは、おりつを奪われ、渡辺八郎の舟で永代橋《えいたいばし》の下まで連れて行かれ、そこで、

「いいか。おのれの家へ帰れよ」

念を押された日のことである。

そのとき、舟を漕いでいたのは吉兵衛であった。

(だが、どうしても、盗賊の手引きをして、大恩のある和泉屋万右衛門殿に迷惑をかけることはできぬ)

ただの迷惑ではない。

渡辺八郎がひきいる十名の盗賊は、和泉屋へ押し込み、金品を奪った上で、家族・奉公人を、

(皆殺しにする……)

らしい。

(こうなったら、おれの手で、おりつを取り返すよりほかに道はない)

ついに、藤田彦七は決意をかためた。

大小の刀を腰にしてはいても、到底、渡辺八郎にはかなわぬ。

その自分の非力を承知の上で、藤田は、おりつ奪回の手段を、考えて考えて考えぬいたのである。

十一

夜に入ってから、長谷川平蔵は〔五鉄〕を出て、旗本・小泉豊次郎邸へおもむいた。

小泉は、

「いかようにも、お使い下さるよう」

こころよく、自邸に見張り所を設けることを承知してくれた。

すぐさま、表門傍の中間部屋《ちゆうげんべや》が見張り所となった。

その出格子窓《でごうしまど》から、道をへだてた向うに、件《くだん》の家の門が見える。

いや、門というほどのものではない。板塀の一部に大扉と潜戸がついているだけのものであった。

同心や密偵たちが近辺で聞き込んだところによると、一年ほど前までは、たしかに剣術の道場になっていて、あまり流行《はや》らなかったらしいが、本所界隈の御家人《ごけにん》の子弟なども稽古に来ていたそうな。

ところが、道場主の五十嵐《いがらし》某が妻子と共に故郷へ帰ってしまったのち、道場は閉鎖された。

しばらくして、浪人のような男たちが出入りするのを見た者もいて、

「どうやら、借り手がついたらしい」

近辺の人びとは、そうおもった。

その後、いつも門は閉ざされたままで、

「人が住んでいるのかどうか、さっぱりわからない」

という人もあり、

「いや、横川から舟が土手下へ着き、そこから、妙な侍が二人、中へ入って行くのを見た」

「そういえば、あそこの土手下には、ときどき、小舟が舫《もや》ってある」

などと、いい出る者もいた。

小泉屋敷の小者たちにいわせると、

「あの家の持ちぬしは、何でも亀戸村《かめいどむら》のほうの名主だといいます」

そこで平蔵は、

「明日は、その名主を調べ、借り手のことを聞き取ってまいれ」

と命じ、見張り所へあつまった与力・同心・密偵たちへ、

「このあたりは、何分にも人通りもなく、目につきやすい。かまえて油断いたすな」

念を入れた。

大滝の五郎蔵は、早くも小泉屋敷の中間に変装していた。

「彦十。ついて来い」

小泉屋敷を密かに出た長谷川平蔵は、相模の彦十と共に、法恩寺橋を東へわたり、横川をへだてた対岸から、怪しい家を見ることにした。

小房の粂八の舟も、そろそろ、百姓地の岸辺へ着くころである。

藤田彦七に手引きをさせ、盗賊どもが和泉屋へ押し込むつもりなら、

(このつぎか、または、そのつぎに、藤田が和泉屋へおもむく日にちがいない)

平蔵は、そう直感している。

いずれにせよ、浪人盗賊・渡辺八郎の急ぎばたらきだ。一気に押し込み、殺傷をいとわぬにきまっている。

粂八が舟で来たら、よく相談をした上で、横川の対岸へも見張り所を設け、小舟をそなえておかねばなるまい。

平蔵と彦十が法恩寺橋をわたりきったとき、橋の西詰へ、藤田彦七があらわれた。

藤田は提灯を袖で囲うようにしていたが、怪しい家の南側の空地へ入ると、あたりを見まわしてから提灯の火を、火縄《ひなわ》へ移した。

藤田は火縄まで用意していたのだ。

それから、裾をまくりあげて帯へはさみ込み、草履をぬいだ。

風呂敷で包んだ大徳利に細引きの縄をつけ、これを帯にむすびつけ、火縄を口にくわえた。

（な、何をしているのだ？）

藤田を尾行して来た木村忠吾も空地の片隅から、これを見まもっている。

だが、暗闇の中のことゆえ、藤田がしていることをすべて見たわけではない。

ただ、藤田が口にくわえた火縄の火が、ぽつんと見え、それが闇の中でちらちらとうごいているのはわかった。

（いったい、あの火は何だ？）

あまりに近づいては気づかれてしまう。

忠吾は空地の土に身を伏せ、息をころしていた。

一方、藤田彦七は、怪しい家の板塀へ取りつき、かなりの時間をかけて塀の上へのぼり、細引きを手繰《たぐ》り寄せ、これを引きあげた。つまり、細引きで結んだ油入りの大徳利を引きあげたことになる。

そして……。

藤田は、塀の内へ消えたのである。

（こりゃあ、大変だぞ）

おもいきって近寄ってみると、藤田の姿はない。草履がぬぎ捨ててあり、火の消えた提灯が捨てられてあるではないか。

（藤田め、中へ忍び込んだらしい……）

忠吾は、あわてて空地から飛び出した。

折よく、そこへ、密偵の庄吉が通りかかった。

それとなく、あたりを見廻っていたのだ。

「もし、木村の旦那じゃあございませんか」

「あ……庄吉か」

「どうなすったので？」

「見張り所は、設けられたのか？」

「その先の、小泉様の御屋敷でございますよ」

「そうか。よかった」

「何か、あったので？」

「いま、藤田彦七が、あの家の中へ忍び込んだのだ。たった一人でな」

「げえっ……」

「長官《おかしら》は、見張り所か？」

「いえ。いましがた、橋をわたって向う岸へ……」

と、庄吉が先へ立って走りはじめた。

このとき、長谷川平蔵と彦十は、法恩寺の西側の塀外の道を百姓地へ向って歩みつつある。

左側は、出村《でむら》町の町家で、茶店もあれば料理屋もあるが、いまは、すべて戸を下《おろ》し、路上は暗い。

彦十が先へ立ち、提灯で道を照らしながら、

「長谷川さま。とうとう、降ってきましたよう」

と、いった。

「おお……」

夜空を仰いだ平蔵が、

「名残りの雪か……」

と、つぶやいた。

雪片が、平蔵の顔へ舞い下りてきた。

春の雪である。

つもるようなことは、よも、あるまい。

そこへ、木村忠吾と庄吉が追いついた。

「何……」

忠吾の報告を聞くや、平蔵は一気に走り、百姓地へ走り込んだ。

百姓地といっても、いまは空地なのだ。

岸辺へ出ると、横川をへだてた対岸の土手の上に、怪しい家の塀が見える。いや、いまは闇に隠れて見えない。

「むう……」

平蔵が唸った。

小房の粂八が漕ぐ小舟が横川の川面《かわも》を近づいて来たのは、このときであった。

細川同心も舟に乗っている。

「粂さん。ここだ。こっちだよう」

相模の彦十が岸辺へ出て行き、提灯を振って見せた。

そのとき、

「あっ……」

木村忠吾が、おもわず叫んだ。

怪しい家の一角から、突然、火の手があがったのだ。

十二

「藤田が、やった……」

蒼ざめた木村忠吾へ、平蔵が、

「もはや、これまでじゃ。見張り所へ駆けつけ、あの隠れ家へ打ち込み、盗賊どもを引っ捕えよと申せ。刃向う者あらばかまわぬ、斬って捨てろ」

「はっ」

忠吾と庄吉が、空地を走り出て行った。

二棟ある藁屋根の、右手のほうからめらめらと炎があがり、火の粉が飛びはじめた。

藤田彦七が持参した油を撒《ま》き、火を放ったのだ。

怪しい家のあたりで、何か叫ぶ声がしている。

平蔵が、

「彦十。お前は、此処で見張っていろ。川を泳いで逃げて来る奴がいたら叩き潰してしまえ」

「ようがす」

「粂八。舟を寄せろ」

「はい」

ひらりと小舟へ飛び乗った平蔵が、

「細川は岸へあがって、彦十と共に見張れ」

「はっ」

彦十が差しのばした手につかまり、細川峯太郎は岸へ移った。

土手の上の塀の潜戸が開き、二つの人影があらわれたのは、このときであった。

燃えあがる火焔を背にして、これが、はっきりと見てとれた。

二人は、土手下の舟着きへ舫《もや》ってあった小舟へ乗り移った。

一人は、まさに浪人で、抜き持っていた刀を舟へ乗ってから鞘《さや》へおさめた。

「粂八。あれだ。追え」

と、平蔵がいった。

うなずいた小房の粂八が、竿をさばいて舟を岸辺から離し、ふたたび、櫓《ろ》をつかんだ。

幅二十間の横川の川面が隠れ家から吹きあげる炎に赤く染まりはじめた。

火のまわりは、まことに早い。

粂八は、たくみに舟を漕ぎ、川面を南へ逃げる盗賊の舟を追いかけつつ、

「長谷川様。ありゃあ、たしかに渡辺八郎でございますぜ」

「そうらしいな」

相手も、こちらの追跡に気づいたらしい。

眼帯をかけた渡辺八郎が、必死に舟を漕ぐ吉兵衛へ何か叫んだ。

横川の両岸に、火事と知って駆けあらわれた人びとの声があがりはじめている。

法恩寺橋をくぐりぬけたとき、小房の粂八は、一気に舟を相手の舟の左側へ寄せて行く。

「盗賊改方・長谷川平蔵である。神妙にせよ」

呼ばわりつつ平蔵が腰を沈め、

「渡辺八郎、観念しろ」

「うぬ!!」

渡辺は、ぎらりと大刀を抜き放ち、

「捕《と》れるものなら、捕って見ろ」

と、喚いた。

「寄せますぜ」

力漕しつつ、粂八が平蔵へ声をかけた。

舟縁と舟縁とが擦れ合い、渡辺八郎が斬りつけてきた。

同時に、長谷川平蔵の腰間《ようかん》から、井上真改《いのうえしんかい》の銘刀が疾《はし》り出た。

「む!!」

「たあっ!!」

刃と刃が嚙《か》み合って、火花が散る。

舟と舟とが、また離れた。

平蔵も渡辺も、小舟に乗っているのだから、足をうごかすわけにはまいらぬ。

こうなると、舟をあやつる粂八と吉兵衛の勝負でもあった。

「粂八、寄せろ」

平蔵が、しずかにいった。

「ようございますか?」

「よし」

舟と舟とが、また接近する。

吉兵衛も、よく漕いだが、いまの粂八は何といっても船宿の亭主でもあるし、吉兵衛より年齢《とし》も若い。

たちまちに追いついた……と、見えた瞬間、長谷川平蔵の躰がひらりと宙に浮いた。

「あっ……」

平蔵が相手の舟へ飛び移りざま、吉兵衛を横川へ突き飛ばしたのである。

飛沫《しぶき》をあげて川へ落ちた吉兵衛を見るや、小房の粂八も、これを追って川へ飛び込んだ。

「くそ!!」

渡辺八郎は、まさかに平蔵が吉兵衛のところへ飛び移ってくるとはおもわなかったらしい。

揺れる小舟の中を、平蔵が身を低めたまま、するすると渡辺へ近寄って来た。

「むう……」

川へ飛び込む間もなかった。

飛び込もうとすれば、その隙を平蔵は見逃すまい。

「やあっ!!」

渡辺は、迫る平蔵の頭上めがけて大刀を打ち込んだ。

同時に、すっくと身をのばした長谷川平蔵の井上真改が、渡辺の一刀を凄まじい勢いで下から擦りあげた。

渡辺の手から大刀が振り飛ばされ、川へ落ちた。

空間に一閃《いっせん》した平蔵の一刀は、渡辺八郎の頸すじから胸へかけて深ぶかと切り割った。

絶叫と共に、渡辺八郎が仰向けに川へ落ち込んだ。

この夜。

中ノ郷・横川町にいた渡辺八郎一味の盗賊は、吉兵衛のほかに六名であった。

このうちの二名は、渡辺同様の浪人くずれの盗賊である。

渡辺八郎は、平蔵の一刀を受けて即死。

吉兵衛は粂八に、水中で捕えられた。

盗賊たちも、まさかに、藤田彦七が放火するとは考えていなかったろう。

火焔と煙りの中で、藤田は必死に、おりつを探しもとめたが、これまた、地下蔵に閉じこめられているとはおもわぬ。

藤田は、浪人たちに発見され、一人を殺したが、渡辺八郎に斬って殪《たお》された。

渡辺は、藤田を斬ってから、

「もう、いかぬ。逃げろ」

真先に、吉兵衛を連れて裏の塀の潜戸から、舟へ乗り移った。

残る五名は、門から外の道へ逃げた。

火事になったのでは、どうしようもない。

そこへ、忠吾の知らせにより小泉屋敷から盗賊改方が走り出て来て、乱闘となり、五名の盗賊どもは、すべて捕えられたのである。

木村忠吾は火煙《ひけぶ》りの中へ躍り込み、裏庭に倒れ伏していた藤田彦七を担ぎ、脱出する

ことができた。

小泉屋敷の門前まで担いできた藤田を下し、

「おい。しっかりしろ。しっかりしろ、藤田彦七」

抱きかかえて揺さぶりつつ、大声に呼びかけると、藤田彦七が気づいて薄目を開け、提灯のあかりに忠吾をみとめるや、

「あ……」

驚愕の表情となった。

どうして、忠吾がこの場にいるのか、藤田には見当もつかなかったにちがいない。

「藤田。やったなあ、おい」

「う……」

「いま、すぐに手当をしてやるぞ。しっかりしろよ」

「あ……」

藤田は、断末魔《だんまつま》の形相になっている。

「おい。おい、これ……藤田。お前には、お弓というむすめがいるのだぞ。しっかりしろ、しっかり……」

「う……うう……」

何かいいたげに、口をうごかしたのが、藤田彦七の最期であった。

がっくりと、藤田の死顔が忠吾の胸に埋まった。

雪は、まだ降りしきっている。


翌日の、火が消えてからの検分《けんぶん》で、地下蔵から、おりつの死体が発見された。

地下蔵の戸には錠が下りているし、戸の隙間から煙りが地下蔵へながれ込んでくるし、たまったものではなかったろう。

おそらく狂人のように、おりつは戸を叩いたにちがいない。

見るも無惨な死にざまであったという。

引《ひ》き込《こ》み女《おんな》

一

そのとき……。

火付盗賊改方の女密偵おまさは、築地《つきじ》の方から万年橋のたもとへさしかかった。

例によって、荷物を背負ったおまさは、小間物行商の姿である。

半月ほど前に、築地の鉄砲洲《てっぽうず》のあたりで、

「磯部《いそべ》の万吉《まんきち》を見かけた……」

という情報が入ったものだから、大滝の五郎蔵・おまさ夫婦や、万吉を見知っている小房《こぶさ》の粂八《くめはち》も深川から出張《でば》って来て、築地界隈を密かに見廻っていた。

磯部の万吉は、もう五十に近いはずだ。

むかしから一人ばたらきの、盗《つと》めの経験も豊富な男で、以前は盗賊の頭《かしら》だった大滝の五郎蔵も、

「二度ほど、手つだってもらったことがある……」

と、いう。

おまさも、乙畑《おつぱた》の源八という盗賊の許《もと》で〔引き込み〕をつとめていたころ、盗めの手つだいに来た磯部の万吉を見知っていたし、小房の粂八も野槌の弥平一味の盗賊だったころ、万吉を知っていた。

いずれにせよ、磯部の万吉は、盗みの世界で顔がひろく、たしかな腕を買われて、いまも諸方の盗賊から、

「助《す》けてくれ」

の、依頼があると看てよい。

「万吉を見かけた……」

と、大滝の五郎蔵へ知らせて来たのは、これも元盗賊で、いまは足を洗い、女房も子供もある桑原《くわはら》の喜十《きじゆう》という老爺だ。

喜十は、十年ほど前から南八丁堀《みなみはつちようぼり》五丁目で〔信濃屋〕という煮売り酒屋の亭主になっている。

大滝の五郎蔵とは昔なじみだけに、五郎蔵も心をゆるし、いまは盗賊改方の密偵をつとめていることも打ちあけ、

「何かあったら知らせてくれ」

と、たのんであった。

これまでに喜十は、いろいろな情報を五郎蔵へとどけてくれ、これが大いに役立っている。

五郎蔵は喜十の存在を、畏敬している盗賊改方の長官・長谷川平蔵にも洩らしていない。

それが、喜十との約束だし、また長谷川平蔵も、密偵たちの情報網に対しては、いささかも口をさしはさまぬ。

それでなくては密偵たちの信頼を得ることができないし、盗賊改方のような御役目がつとまるものではない。

密偵のおまさが万年橋へさしかかったのは、七ツ（午後四時）ごろであったろうか。

梅は散ったが桜には間があるという……まだ冬の名残りが淡く残っているようでもあり、それでいて、いつの間にか日足《ひあし》がのび、一雨ごとに暖気《だんき》が加わってきて、空の青さに薄い膜がかかったように見える、そうした或日《あるひ》のことだ。

こころなしか、道行く人びとの足取りもゆったりとして見える。

（おや……あれは……？）

万年橋の欄干《らんかん》にもたれ、川面《かわづら》を凝《じっ》と見つめている女の横顔に気づいたおまさは、くるりと背を向け、渡りかけた橋から身を引いた。

（たしかに、あれは、お元《もと》さんだ……）

以前は、おまさと共に乙畑の源八の許で〔引き込み〕をつとめていた女盗《おんなぞく》のお元なのだ。

お元はおまさより二つ三つ年下のはずだが、以前は肉置《ししお》きがゆたかで、盗みの世界にいる女とはおもえぬ愛敬《あいきょう》があり、それがまた〔引き込み〕をつとめる上で役に立ったのである。

そのお元の躰《からだ》が、見ちがえるほどに細くなっている。

窶《やつ》れているといったほうがよい。

髪もきれいに結《ゆ》い、身につけているものも小ざっぱりとして、どこぞの大店《おおだな》の奥ではたらく女中のような姿《こしらえ》なのは、

（やはり、どこかへ引き込みに入っているのだろうか？）

と、おまさは感じた。

すると、この辺りで見かけたという磯部の万吉が、お元と重なって看えてくる。

（もしやして、いっしょの盗みばたらきをしているのではあるまいか？）

このことであった。

仲のよかったお元だけに、場合によっては、おまさの一存で見逃すということもないではないが、こうなると知らぬ顔で通り過ぎるわけにはまいらぬ。

（さて、どうしたらよいものか？）

橋のたもとから少し離れた川岸へ〔まき紙・おしろい・元結・せんこう〕と書いた紙をはりつけた箱を背中から下し、その後ろへ屈み込み、一休みしているかたちになり、おまさは頭へかぶった手ぬぐいの陰から、橋上のお元を見やった。

お元は、川面を見おろしたまま、うごこうともせぬ。

何か、放心しているようにも見えた。

目ざす押し込み先へ、何くわぬ顔をして住みつき、内情を探り、これを密かに盗賊の頭《かしら》の耳へとどけ、いざ、押し込みの夜ともなれば内側から手引きをして、一味の盗賊たちを引き入れるという〔引き込み〕をつとめる者が、まだ人通りも多い時刻の橋上で、いつまでも立ちつくしているなどとは、

(どうも妙な……お元さんほどの引き込みがすることではない。もしやして、お元さん、足を洗ったのでは……)

とさえ、おまさはおもった。

おまさとお元の〔お頭〕だった乙畑の源八は、ずっと以前に病死してしまい、以来、一味の盗賊たちは四散してしまった。

そのとき別れてより、おまさがお元を見るのは今日がはじめてであった。

ほんらいならば、先ず、お元の行先を突きとめるのが密偵の常道である。

(それよりも、いっそ、声をかけてみようか……)

おまさは、おもい迷った。

むかしは女賊どうし、こころをゆるし合った親しい間柄だけに、会って語り合いたい。

もしも、お元が磯部の万吉と同じ盗《つと》めに加わっているなら、

（何とか、お元さんだけは逃してやれるかも知れない）

しかし、それも、いまの自分が盗賊改方の密偵をつとめているのに、お元が気づいていなければのことだ。

おまさも五郎蔵も、

（むかしの仲間には、まだ気づかれてはいないだろう）

と、おもってはいるが、迂闊《うかつ》なまねはできぬ。

現に、信濃屋の喜十のように、五郎蔵おまさのことをわきまえてい、情報を提供している者も何人かいる。喜十がそうだとはいわないが、その中には、うっかりと五郎蔵夫婦の正体を他に洩らしている者もないとはいえぬ。

結局、おまさは、お元の尾行をすることに決めた。

間もなく……。

小さな風呂敷包みを手にしたお元は、万年橋をわたり、その向うの三十間堀《さんじっけんぼり》に架《か》かった三原橋をわたり、南鍋町二丁目《みなみなべちょう》（現・中央区銀座五丁目）の袋物問屋・菱屋彦兵衛《ひしやひこべえ》方の通用口から中へ入って行った。

［御鼻紙袋・御煙草入・萬《よろず》袋物・羅紗《らしゃ》類織物切地］

と、金文字の看板を掲げた菱屋は、店舗こそ大きくはないが、紀州家をはじめ諸大名

の御用をうけたまわっているほどの老舗《しにせ》である。

（やはり、お元さんは菱屋の引き込みに入っている……）

おまさは、深いためいきをついてから身を返し、大滝の五郎蔵と待ち合わせることになっている南八丁堀の信濃屋へ向った。

二

夜に入って……。

清水門外の役宅へあらわれた大滝の五郎蔵とおまさの報告を受けて、

「佐嶋をよべ」

長谷川平蔵は、まだ与力部屋にいた佐嶋忠介を居間へよび、

「先《ま》ず、こうしたわけじゃ。佐嶋は何とおもう？」

「されば、すぐさま、菱屋方の見張り所を設けねばなりますまい」

「そのことよ」

「これより、すぐさま……」

「いや、明朝でよかろう。まさかに、今夜の押し込みではあるまい。おまさ、どうじや？」

「それはもう、今夜ということはないと存じます」

「なれど佐嶋。念のために手配《てくば》りだけはしておくがよい」

「心得ました」

佐嶋は、居間から出て行った。

見張り所は間に合わぬが、それとなく、明朝まで菱屋を見張ることはできる。こうなったからには、少しも油断はならぬ。

「さて、おまさ」

「はい？」

「その、お元とやらが万年橋の上から、いつまでも川面を見つめたままだったという、そのありさまを、いま一度、はなしてくれぬか」

「はい」

おまさが、あらためて語り終えると、

「おまさは、お元の身なりから推《お》してみて、菱屋の女中に住み込んでいるとおもうのじゃな？」

「そのとおりでございます」

「となれば、やはり、引き込み……」

「はい」

おまさは、うつむいた。

それをちらりと見やってから、長谷川平蔵が、

「五郎蔵は、何と看る？」

「はい。おまさのいうとおりだとすると、どうも腑《ふ》に落ちません。盗人《ぬすっと》の引き込みが、まだ日も落ちねえのに、橋の上で物おもいに沈んでいるというのは、きっと何かあったのでございます。それでなけりゃあ……」

いいさした五郎蔵へ、おまさがうなずいて見せた。

平蔵は、亡父遺愛の銀煙管を手に取り、煙草をつめながら、

「どうじゃ、おまさ。たとえば、お前のほうからお元へ声をかけてみたとすると、お元はどうなる？」

「それは、私がお上《かみ》の御用にはたらいていることを、お元さんが知らないとしてのことでございますか？」

「そうじゃ。お元は、いま、自分が菱屋へ引き込みに入っていることを、お前に打ちあけるであろうか……」

「むかしのお元さんなら、きっと、私には打ちあけてくれましょう」

「ふうむ。さほどに仲がよかったのか？」

「はい。ですが長谷川さま。人は……ことに女は、どのようにも変るものでございますから、いまのお元さんが、むかしのままだとはいいきれません」

「いかにも、な……」

いまのお元は、どこの盗賊の許《もと》ではたらいているのであろうか。

いずれにせよ、明日から見張り所が設けられれば、盗賊改方の探索と追及は万全のも

のになるといってよい。

わざわざ、何もおまさがお元へ声をかけ、探りを入れるまでもないことなのだ。

しかし、平蔵は、こころをゆるし合った友だちのお元を、自分に、

（売ろうとしている……）

おまさの心情を、慮《おもんばか》っているにちがいない。

場合によっては、お元を見逃してやってもよいと考えている。

盗賊だった者が、盗賊改方の密偵になることは非常の決意があってこそなのだけれども、盗賊たちの目から見れば、仲間を売ろうとする汚《けが》らわしい狗《いぬ》ということになる。

いまの盗賊改方の密偵は、いずれも長谷川平蔵に心服し、平蔵の活動に理解をもち、それこそ、

「死んだ気になって……」

はたらいてくれている。

それがわかっているだけに、平蔵は、それぞれの密偵たちの複雑な心境を、長官の自分も理解せねばならぬとおもっている。

その理解あってこそ、密偵たちもはたらいてくれるのだ。

今日のおまさにしても、磯部の万吉の一件がなければ、お元を見逃していたやも知れない。

その気持ちを押え、平蔵へすべてを告げたのは、

（とても、長谷川さまを裏切ることはできない）

と、おもいきわめたからであった。

「五郎蔵、おまさ……」

二人へよびかけた平蔵が、煙管を軽く煙草盆の灰吹きへ落して、

「お元がことは、二人にまかせよう」

と、いった。

五郎蔵とおまさは、声もなくひれ伏《ふ》した。

平蔵が言外に匂わせていることを察知したからである。

このとき、佐嶋忠介がもどって来て、今夜、それとなく菱屋の周辺を見廻る同心に沢田小平次、小柳安五郎。それに密偵三名をつけそえることにした旨を平蔵に告げた。

「それでよい」

うなずいた長谷川平蔵が、こういった。

「わしがおもうに……お元は、引き込みに嫌気がさしたのではあるまいか。ちかごろの盗賊どもは、押し込み先での殺生に慣れてしまい、急ぎばたらきではなくとも血を見ることが多い。

お元は、そうした盗《つと》めに嫌気がさしてきているのではないか。どうも、わしには、そのようにおもえてならぬ。お元は菱屋方の人びとの血を見ることが恐ろしくなった。と申すのは、いまのお元は菱屋の人びとから親切にされているのではあるまいか。さりと

て、一味の盗賊を裏切るわけにはゆかぬ。おもい悩んで、われを忘れ、上《うわ》の空で川面に見入っていた……となると、押し込みの日もせまっていることにもなるが……」

三

翌朝。与力の佐嶋忠介は、役宅へあらわれた小房の粂八を連れ、菱屋の見張り所を設けるために出て行った。

袋物問屋の菱屋は、南鍋町二丁目の角地《かどち》にあり、北側は同町一丁目との境いの道だ。

その道をへだてて、菱屋の通用口と向い合い、錫師仁左衛門《すずしにざえもん》の家がある。

〔錫細工所《さいくどころ》〕の暖簾《のれん》をかけた店先で、老いた仁左衛門が弟子二人を相手に仕事をしており、このほかには老妻のお浜《はま》がいるだけだ。

佐嶋は、菱屋の近辺を物色し、昨夜から見廻りをつづけていた沢田・小柳の二同心や粂八の意見も聞き、

「よし、錫師の家にしよう」

と、決めた。

錫師の仁左衛門は、佐嶋忠介のはなしを聞くや、即座に、

「どのようにも、おつかい下さいますよう」

たのもしげに、引き受けてくれた。

老熟の職人の家だけに、二人の弟子もしっかりした人柄だし、老妻のお浜も口が堅い。

「かたじけない。では、たのみ入る」

すぐさま佐嶋は、錫師の家の二階へ見張り所を設けた。

昼すぎには、五郎蔵おまさの夫婦があらわれ、夕刻には長谷川平蔵も姿を見せ、

「うむ。これならばよい」

満足の態《てい》であった。

二階の窓からは、菱屋の通用口が、すっかり見わたせる。板塀に格子戸がついた通用口の奥には、家族が出入りする玄関があり、勝手口への通路もあるらしい。

夜ともなれば、格子戸の内側に、別の重い板戸が閉められる。

お元が菱屋の女中に住み込んでいるのは事実であった。これは錫師の家の人びとの口からわかった。

そうなると、女中のお元が出入りするのは通用口である。大通りの店先へあらわれることは先ずないといってよい。

「これで、菱屋さんも安泰でございます。何よりのことでございますなあ」

錫師の仁左衛門は、我事《わがこと》のようによろこんだ。

それはそうだろう。

此処《ここ》に火盗改メが見張り所を設けたからには、盗賊たちは一歩も菱屋の内へ踏み込むことができぬ。

問題は、これより先の探索しだいで、

「盗賊どもを一網打尽にする……」

ことができるかどうか、であった。

見張りの指揮は、与力・金子勝四郎がとり、松永・小柳・沢田の三同心に、粂八・五郎蔵・おまさ、それに相模の彦十が加わって、密偵が四人。合わせて八名を投入したことになる。

その上、他の密偵たちが交替で、日に二度は見張り所と連絡《つなぎ》をつけることになった。

大がかりというのではないが、長谷川平蔵が菱屋一件を重く視ていることはたしかだ。

「先ず、これでよかろう」

錫師の家を訪れた平蔵は、いったん外へ出て、単身の見まわりをした後、ふたたび錫師の家へもどり、仁左衛門夫婦に茶のもてなしを受けながら、菱屋の内情を聞き込みはじめた。

お元については、

「さようでございます。あの女中さんは、一年ほど前から見かけるようになりましたが……」

とのことだ。

お元は、菱屋彦兵衛の内儀や子供たちの供をして外へ出ることもあるが、錫師仁左衛門とは道で顔を合わせたとき、目礼をかわす程度にすぎない。

仁左衛門は、菱屋へ出入りをしているわけでもなし、内情といっても、それは近辺の

人びとのうわさが耳へ入るにすぎない。

黙々と仕事に打ち込み、つつましやかに暮す錫師の家だけに、他家の内情にはあまり興味をもたぬ。

それでも、長谷川平蔵には得るところがあったらしく、二階の見張り所へあがって来て、

「五郎蔵、おまさ。役宅まで来てくれぬか」

二人を伴い、役宅へ帰った。

そのまま、五郎蔵とおまさは平蔵の居間へ入り、酒の相手をしながら、平蔵のはなしを聞いた。

「な……」

語り終えた平蔵が、

「いま、はなしたような菱屋の内情が、どのようにお元へはたらきかけたか、それは知らぬ。なれど、お前たちも心得ているがよい」

行きとどいた平蔵のあつかいに、おまさと五郎蔵は恐れ入るばかりであった。

五郎蔵夫婦は、この夜、役宅へ泊り、翌朝になると、また南鍋町の見張り所へ引き返して行った。

この日から、菱屋の見張りが本格的になった。

おまさは、ほとんど見張り所へ詰めているが、五郎蔵と粂八は、磯部の万吉の探索と

並行してはたらかねばならぬので、見張り所へは交替で、日に二度ほど顔を出す。

緊張の明け暮れが、二日、三日とつづいた。

お元は、まだ、通用口から姿を見せない。

さらに三日、四日と過ぎたが、依然、お元は外へあらわれぬ。

したがって、盗賊一味の者が、お元へ連絡《つなぎ》をつけている様子もない。

いまのところは、さして連絡の必要もないのか……。

となれば、押し込みの日がせまっているわけでもあるまい。

それとも、

「お元は、もう足を洗っているのではあるまいか？」

と、大滝の五郎蔵が、おまさへささやいた。

おまさは、考えこむのみであった。

さらに五日が過ぎた。

見張り所を設けてから十余日が過ぎたわけだが、お元は姿を見せず、連絡の者もあらわれぬ。

「妙だな、これは……」

与力・同心たちも、くびを傾《かし》げていた。

おまさは、居たたまれない気持ちになってきた。

桜の蕾《つぼみ》も、ほころびはじめている。

四

また、三日が過ぎた。

盗賊改方の、菱屋の見張りも、ようやく倦《う》みはじめてきたようだ。

おまさが、菱屋へ入るお元を見とどけてから、半月が経過している。

その間、見張りの緊張を持続しつつ、しかも成果が全くあがらぬ。

「これは、おまさ……」

と、与力の金子勝四郎が、

「お元という女は、足を洗って菱屋の女中そのものになっているのではあるまいか。もしも、そうしたわけならば、あらためて長官《おかしら》の御指図を仰がねばならぬとおもうが……」

などと、いい出した。

「はい……」

おまさも、金子与力の言葉に同感しかけている。

だが長谷川平蔵は、その後、見張り所へは顔を見せぬし、別に指令をとどけてはこなかった。

「どうしたら、いいのだろうね?」

おまさはたまりかねて五郎蔵に尋《き》いた。

「そうだな……長谷川様から何のお指図もないのだから、このままの見張りのかたちをくずしてはいけないのだろうよ」

「磯部の万吉のほうは？」

「どうも、手がかりがつかめない。小房の粂八どんも困っているよ」

「困ったねえ……」

「うむ」

ところが……。

つぎの日の昼すぎになって、

「あ……出て来た。まあちゃん。あの女じゃあねえのか？」

窓の障子の隙間から菱屋の通用口を見張っていた相模の彦十が声をあげた。

その場にいたおまさが覗いて見ると、まさに、お元である。

「おじさん。いっしょに来ておくれ」

彦十へそういって、おまさが金子勝四郎へ、

「尾けてまいります」

「彦十と二人きりでいいのか？」

と、小柳安五郎。

「大丈夫でございますよ」

きっぱりと、おまさはいった。

他の密偵や同心たちが、

(いっしょではないほうがいい……)

ような予感があったからだ。

何故か、わからぬ。わからぬが、このときのおまさには無意識のうちに胸の底で、決意が、かたまりはじめていたのであろう。

おまさと彦十は、すぐに見張り所を飛び出した。

見送った小柳安五郎が、金子与力へ、

「二人きりで、大丈夫でしょうか？」

「まかせておこう。おまさを、おもうままにはたらかせよとの、長谷川様のおおせだ」

「はあ……」

菱屋を出たお元は、京橋をわたり、江戸随一の大通りを日本橋の方へ向った。

途中、連絡《つなぎ》の者があらわれる様子もない。

おまさと彦十は別れ別れになり、お元の尾行をはじめている。

「おじさん。手ぬかりがあってはならないよ、いいかえ」

「心配するなよ、まあちゃん」

年をとっても、まだ、大酒をのむことばかり考えている相模の彦十だが、いざともなれば、長谷川平蔵が、

「まだまだ、爺《とっ》つぁんは役に立つ」

つねづね洩らしているだけに、その尾行の仕方も、まことに堂に入ったものだ。

お元は、日本橋をわたり、神田から上野へ……そして池ノ端仲町の化粧品店・浪花《なにわ》やへ入った。

この店は、かつて長谷川平蔵が〔暗剣白梅香〕事件で、手がかりをつかんだ店だが、盗賊たちと関わり合いがあるわけではない。それは、おまさも彦十も、よくわきまえている。

「まあちゃん……」

どこからか相模の彦十があらわれ、

「こいつは、菱屋の内儀のいいつけで、浪花やへ買物に来たのだね」

「そうらしいねえ」

二人は〔今村文孝堂〕という文房具屋の傍の細道へ入り、筋向いに見える浪花やの店先を注視しながら、ささやき合った。

「これじゃあ、尾けることもなかったかな……」

「まだ、わからないよ」

「まさか、浪花やが……？」

「おじさん。そんなことがあるはずはない」

「む。それもそうだ」

しばらくして、お元が出て来た。

二人は、文孝堂の羽目板へ身を寄せた。

お元は、買物の包みを胸に抱くようにして、仲町の通りを西へ行くではないか。

つまり、来た道を引き返して来るのではなかった。

おまさと彦十は、顔を見合わせた。

お元は、蠟燭問屋《ろうそくどんや》の伊勢屋の手前で右へ曲がり、不忍池《しのばずのいけ》のほとりへ出た。

薄曇りの空に鳶《とび》が一羽、不忍池の真上をゆったりと旋回している。

風も絶えて、汗ばむほどの午後であった。

上野山内の桜花《はな》がひらくのも間近い。

そこは不忍池の南岸で、上野の山裾に接した東岸にくらべ、このあたりには、ほとんど店屋はないが、葭簀《よしず》張《ば》りの茶店が一つ、池の面《おもて》へ突き出していた。

お元は、その茶店へ入って行った。

おまさと彦十は、仲町の家並《やなみ》の物陰に隠れ、

「おじさん。もしやすると、あの茶店でつなぎの者と落ち合うのかも知れない」

「ふうむ……」

暖かくなったので、上野山下から広小路の盛り場にかけての人出は相当なものだが、このあたりは、まことにしずかで、ひろびろとした池の彼方の中島の弁天堂のあたりに、水鳥の群れが浮いている。

お元は茶店へ入ったきり、およそ半刻（一時間）も出て来なかった。

「何をしていやがるんだろう？」

「あれから、だれも入って行かないし、出て来た者もいないねえ」

こちらからは、茶店の中の様子がわからなかった。

「おじさん。私ぁ、行ってみますよ」

「えっ。何処へ？」

「茶店へ……」

「いいのかえ、おい」

「ぶつかってみよう、こうなったら……」

おまさは、背中の荷物をゆすりあげて、

「おじさん。見張りをたのみましたよ」

いい置いて、物陰から出て行った。

茶店の中の客は、お元ひとりである。

おまさは、わざと、お元を無視して、茶店の老爺へ、

「甘酒を一つ、おくんなさいよ」

と、声をかけた。

「へい、へい」

老爺がこたえるのと、奥の縁台にかけて、ぼんやりと不忍池をながめていたお元が振り向くのとが同時であった。

「あっ……」

お元が低く叫んだのへ、おまさは、わざと不審げな視線を投げた。

二人の女の、眼と眼が合った。

「おまささんじゃあないか……」

「あれ、お元さん。こりゃあ、おどろいた」

「まあ……」

立ちあがった二人が、まじまじと、たがいの姿を見つめ合い、

「変ったねえ……」

「おまささんの肥《こ》えたこと」

「お前さんの細くなったこと」

「そんなに、窶《やつ》れていますかえ？」

「窶れているのか、姿がよくなったのか……」

「まあ、こっちへおいでなさいよ」

「かまわないかえ？」

「かまうもかまわないも、ありゃあしない」

お元の縁台へ行き、背中の荷物をおろしたおまさへ、

「おまささん。小間物の商《あきな》いかえ？」

「そうさ」

「ふうん……」

きらりと、お元の眼が光って、

「それじゃあ、つなぎをしていなさる？」

「まあ、そんなところさ」

「だれの？」

「いまは、大滝の五郎蔵お頭のところにいるんだよ」

「まあ……ちっとも知らなかった」

お元の声には、いささかの不信もただよっていない。おまさはほっとした。

「それにしても、何年ぶりだろうねえ」

「むかしのことさ」

甘酒がきた。

「どこかで、ゆっくりとのみたいけれど、酒の匂いをさせて帰るわけにもいかないし
……」

つぶやいたお元へ、おまさが、

「どこへ、引き込みに入っているのだえ？」

尋ねて、すぐさま手を振りつつ、

「あ、いけない。おたがい、そんなことを耳にしたところで仕様もない」

お元は、さびしげな微笑を浮かべて、うなずいた。

それから、この二人の女は茶店の中で半刻をすごした。

茶店の老爺へ、たっぷりと〔こころづけ〕をわたし、二人は外へ出て山下まで歩き、
そこから、お元は駕籠《かご》を拾って菱屋へもどって行ったのである。

その駕籠を見送っているおまさへ、相模の彦十が走り寄って来て、

「何をしているんだ。駕籠の後を尾けねえでいいのかよ?」

「また明日、お元と会うことにしましたよ」

「え……?」

「あの駕籠は、真直《まっす》ぐ菱屋へ行くにきまっている」

「ほんとかい?」

「ええ……」

おまさは、いくらか蒼ざめている。

その顔を覗き込むようにして彦十が、

「どうかしたのかい?」

「ねえ、おじさん……」

「む?」

「ひとりで見張り所へ行って、別に変ったこともなく、お元が菱屋へもどったと、旦那方へそういっておいて下さいよ。私は、これから御役宅へ行かなくては……」

「わけをはなしてもいいじゃあねえか」

「後でゆっくりはなしますよ。お元の駕籠に遅れたら、旦那方が妙におもいなさる」

「てっ。仕方がねえな。よし、後で、わけを聞かしてもらうぜ」

彦十は裾をからげ、山下の人ごみの中へ駆け込んで行った。

一刻ほど後に……。

おまさは、清水門外の役宅へあらわれた。

このところ、長谷川平蔵は市中の見廻りに出ていない。

同心・細川峯太郎に手つだわせて、蔵の中から火付盗賊改方の古い記録や書類をつぎつぎに居間へ運ばせ、仔細に目を通しているらしい。

おまさは、すぐに居間へ通された。

「おお……」

書類からはなした眼を、おまさへ向けた平蔵が、

「お元に会ったな」

いきなり、ずばりといったものだ。

こうしたときの、平蔵の勘ばたらきの凄さに、おまさもおどろくほかはない。

「は、はい……」

「どうであった？」

「やはり、あの……」

「引き込みに入っていたのか？」

「はい。菱屋へ入っているとは申しませんでしたが……いま、お元は、駒止《こまどめ》の喜太郎《きたろう》の下で、はたらいているらしゅうございます」

「何、あの浪人くずれの盗賊か……」

「はい」

駒止の喜太郎の名は、元盗賊の密偵たちの口から、平蔵も耳にしている。

この盗賊は上信二州から北陸へかけての盗みばたらきが多く、平蔵が火盗改方に就任してからは、ほとんど江戸へあらわれていなかった。

駒止の喜太郎は、流血を好むわけではないが、これを嫌うわけでもなく、時と場合によっては思いきって殺戮《さつりく》することもあるそうな。

「お元は、いま、駒止の情婦《おんな》になっているそうでございます」

「ほう……」

「つなぎをしているのは、どうやら、菱屋の主人《あるじ》夫婦の気に入られている按摩《あんま》だということで……」

「なるほど」

「ですが、お元は、もう金蔵《かねぐら》の錠前の蠟型《ろうがた》をとり、その按摩へわたしたらしゅうございます」

「では、押し込みの日も近いな」

「はい。明日、もう一度、お元に会います」

「私に、何やら……おもいきって、打ちあけたいことがあると申しました。何しろ今日は……」

「よいのか？」

お元も、おもいがけぬおまさとの再会で時間をとられてしまい、一時も早く菱屋に帰らねばならなかったのであろう。

明日は、うまく口実をつけ、出て来るつもりらしい。

「打ちあけたいこと、とな？」

「はい」

「ふうむ。何であろう？」

「それがどうも、わかりませんでございます」

奥庭に、雨の音がしてきはじめた。

この夜。

長谷川平蔵は、わざわざ佐嶋忠介を菱屋の見張り所へさしむけ、

「明日、お元が外へ出ることがあっても後を尾けぬこと。そのかわり、菱屋へ出入りの按摩を探るべし」

と、指令をあたえた。

その按摩は、すぐにわかった。見張り所を設けた錫師の家の人びとに尋ねると、

「あ、それなら、弓町《ゆみちょう》(いまの銀座二丁目)にいる豊《とよ》の市《いち》さんでございましょう」

とのことだ。

おまさは、この夜、役宅へ泊った。

五

翌日。

昨日と同じ時刻に、不忍池の茶店でお元と会うべく、おまさは役宅を出て行った。

雨はあがり、よい日和《ひより》になっていた。

おまさが役宅へもどって来たのは、七ツ(午後四時)ごろであったろう。

長谷川平蔵は、居間で、おまさを待ちかねていた。

このときすでに、盗賊改方は、按摩の豊の市の家を見張りはじめていた。

豊の市は、弓町の路地奥に小さな家を構えてい、女房と二人で暮している。

家への出入りは、その路地一つであったから、路地口を見わたせる狂言師・大蔵市郎《おおくらいちろ》兵衛《べえ》宅の二階を見張り所にしたのである。

「おまさ。さ、これへまいれ。どうであった?」

次の間へ入って来たおまさをさしまねいた平蔵へ、

「おもいがけないことになりました」

今日は、おまさの顔に昂奮の血の色が浮いている。

「どうした？」

「お元は、菱屋の主人《あるじ》とわりない仲になっていて、いっしょに逃げ出そうといわれ、おもい悩んでいるらしゅうございます」

「何と……」

これには、長谷川平蔵もおどろいた。

菱屋の主人・彦兵衛は当年三十歳。五年前に養子となり、菱屋の家付娘お延《のぶ》の聟《むこ》となり、一女（四歳）をもうけている。

彦兵衛は、同業の袋物屋といっても、菱屋とはくらべものにならぬ家の次男に生まれ、生来《せいらい》まことに温和な人だそうな。

菱屋には、まだ先代の隠居夫婦が矍鑠《かくしゃく》としており、それはいいのだが、

「隠居とは名のみで……」

いまもって家業に君臨し、ゆえに、養子の彦兵衛もまた、

「主人とは名のみ……」

の、存在だという。

これでは、いつまでたっても、奉公人たちが養子の主人を敬《うやま》うまい。

また、奉公人が彦兵衛を敬ったり慕ったりすれば、隠居の機嫌が悪くなるというのだから、彦兵衛にしてみれば、

「たまったものではない」

ことになる。

たとえば、こんなことがあった。

或日。彦兵衛が居間にいて、妻のお延へ、

「お延。お茶をくれないか」

そういったとき、これを耳にはさんだ先代が怒り出し、

「養子のくせに、家付のお延へ物事をいいつけるとは何事だ。それに名を呼び捨てにするとはけしからぬ」

というので、さんざんに叱りつけ、罵った。

また、お延もお延で気位が高く、こうしたとき夫を庇《かば》おうともせず、驕慢《きょうまん》な父をたしなめようともしない。

この挿話《はなし》一つをとってみても、おとなしい菱屋彦兵衛の日々が、いかに屈辱にみちたものか、およそ知れよう。

お元は、いうまでもなく、件《くだん》の按摩・豊の市の紹介によって、一年前に菱屋へ奉公にあがった。

豊の市は、駒止の喜太郎一味ではなく、他の盗賊たちへも種々の情報を売っているにちがいない。つまり一種の〔嘗役《なめやく》〕をしているのであろう。

その豊の市が、いまは、お元と喜太郎との間の連絡をつとめているのは、今度にかぎり、特別に駒止一味の盗みばたらきを助けていることになる。

お元は、先代の隠居夫婦にも、彦兵衛夫婦にも気に入られ、いまでは奥向きの用事を一手に取り仕切っているらしい。

こうなると、めったに外へは出られないから、豊の市を利用することになったのだ。

まず、こうしたわけで……。

気の毒な菱屋彦兵衛の日常を、目《ま》のあたりに見て暮すうち、いつしか、お元の胸の底に、

（なんとまあ、お気の毒な旦那なのだろう……）

同情の念が、きざしはじめた。

お元の父親は、浅草の阿部川町で、小さな油屋をいとなんでいたそうだが、その性質といい、顔立ちといい、菱屋彦兵衛にそっくりであった所為《せい》もあって、われ知らず、

「身を入れて、菱屋の旦那へつくすようになってしまったと申します」

と、おまさは語った。

もとより、お元は駒止一味の〔引き込み〕という自分の立場を忘れたわけではない。

また、あまりに彦兵衛へ奉仕することが目立つと先代夫婦や彦兵衛の妻に疎《うと》まれる。疎まれては引き込みがつとまらぬ。

神経をつかい、陰へまわって何くれとなく、彦兵衛の面倒を見るだけに、尚更《なおさら》、彦兵衛にとっては、

（お元が来てくれて、ありがたい）

ということになる。

そこで彦兵衛もまた、人目をぬすみ、お元へ小遣いをあたえたり、商用で外へ出たついでに買って来た簪《かんざし》を廊下で擦れちがいざまに、お元へ手わたしたりするようになった。

これがまた、三十をすぎたお元の胸をさわがせずにはおかなかった。

両親に早く死別れ、悪の道へ入ったお元だけに、これまで何人もの男に肌身をまかせてはきたけれど、こうした男の愛情の表現を味わったことが、

「ただの一度もなかったのだもの」

と、おまさに洩らしたそうだ。

しかし、お元は、こころの内で一線を引き、その外へ飛び出すようなことはなかった。

ところが……。

この正月に、菱屋彦兵衛が風邪《かぜ》をこじらせて病床についたので、これを看病しているうち、

「ぬきさしならぬ……」

ことになってしまった。

彦兵衛が病気になったからといって、妻のお延が付きそうわけではない。

医者のほかには女中だけが、彦兵衛を介抱するわけで、看病はすべて、お元の手にまかされることになった。

「そ、それが却《かえ》って、いけなかった……」

茶店の一隅で、お元は、おまさの腕をつかむようにして、たまりかねたように噎《むせ》び泣いた。

先代夫婦とお延が、浅草寺へ参詣に行ったときと、芝居見物に出たとき、お元と彦兵衛は、あわただしく病間で抱き合った。

「私は、何も彼も捨てる。いっしょに逃げておくれ」

と、彦兵衛はいった。

むろん、お元は断わったが、病気が癒った後の彦兵衛は肚《はら》を決めたらしく、密かに金の用意もし、出奔《しゅっぽん》の時期をねらっているらしい。

「お前が承知をしてくれなければ、私は、お前とのことを、先代にも女房にも打ちあけるつもりだ」

これまで堪えに堪えてきただけに、彦兵衛の決意は、非常なものといってよい。

三日前に、彦兵衛は、お元へ出奔の日を告げた。

それぞれ、昼すぎに菱屋を脱け出し、箱崎町二丁目の船宿・吉野屋で落ち合おうというのである。

「安心をして、私にまかせておくれ」

「けれど旦那さま。そんな急に……」

「もしも、お前が来なかったら、私は店へもどり、お前とのことを打ちあけ、手を引い

てでも菱屋を出るつもりだ」

その日は明後日にせまっている。

そして、同じ日の夜半すぎに、いよいよ駒止一味の盗賊が菱屋へ押し込むことになっている。お元は通用口を内側から開け、盗賊たちを引き込む手筈になっている。

「それで、お元が苦しみ悩んでいる最中《さなか》に、お前と出合ったというわけか……」

「そうなんでございます」

「彦兵衛と共に逃げれば、駒止の喜太郎を裏切ることになる」

「そうなんでございます」

「喜太郎は自分の女の裏切りだけに、見逃してはおくまい」

「たとえ菱屋の旦那と逃げたにせよ、駒止の喜太郎は、草の根をわけても自分たちを探し出さずにはおかないと……お元も、そう申しておりました」

「それで……」

と、長谷川平蔵は、おだやかな眼の色になって、おまさを見まもりつつ、

「お前は、お元に相談をもちかけられ、何といってやったのじゃ？」

がっくりと、おまさが肩を落した。

奥庭の夕闇は濃かった。

侍女が灯《あか》りを入れに次の間へ入って来たが、薄暗い居間の中に凝固《ぎょうこ》としてうごかぬ平蔵とおまさを見るや、次の間から廊下へ引き下って行った。

「おまさ……」

「はい」

「お前も、いまは盗賊改方の密偵ゆえ、おもいきった助言もできなかったろうな」

「は、はい……」

おまさの声が、肩が、ふるえはじめた。

おまさは、苦しげに、お元にこういったのだ。

「わからない。私にはわからないよ、お元さん。どうしたら、お前さんのためにいいのか、ちっとも……ちっとも、わからないんだよ」

六

翌朝から、盗賊改方は手あきの与力・同心・密偵たちを動員し、按摩の豊の市の見張りから手繰《たぐ》り寄せた糸の一つ一つへ、探りをひろげはじめた。

五郎蔵おまさの夫婦は、菱屋の見張り所へ詰めきっている。

この日、長谷川平蔵は役宅から一歩も出なかったが、そのかわりに筆頭与力の佐嶋忠介が菱屋と豊の市の見張り所へ出張《でば》り、指揮を執った。

その佐嶋からの報告をもって、つぎつぎに同心や密偵たちが清水門外の役宅へ駆けつけて来る。

いちいち、それへ指令をあたえながら、平蔵は、筆頭同心・酒井祐助へ、いざとなっ

たとき、盗賊改方の総動員が迅速におこなわれるように命を下した。

この日の夕暮れに、店から奥へあらわれた菱屋彦兵衛と廊下で擦れちがったとき、お元は、素早くささやいた。

「逃げるのは明後日《あさって》にして下さいまし」

「え……では、決心をしておくれか」

「はい」

「いいとも。それでは明後日、かならず、箱崎の船宿へ来ておくれ。いいね」

「はい」

ささやきかわしたのはこれだけであったが、菱屋彦兵衛は、お元のきっぱりとした声に安心をしたようである。

夜に入って、駒止の喜太郎の盗人宿が二カ処、つきとめられた。

一は深川。一は、芝の田町《たまち》にあった。

これは、豊の市の家へ連絡に来る駒止一味の者を尾行して、つきとめたのだ。

豊の市は夜になって菱屋へ出向き、先代夫婦の揉《も》み療治をした後、通用口まで送って出たお元へ、

「それでは、明日の押し込みはいいね?」

念を入れると、

「大丈夫。手ぬかりはないと、駒止のお頭へつたえておくんなさい」

お元の声には、いささかのためらいもなかった。

押し込みは、明夜半すぎの九ツ半（午前一時）に決まっている。

見張り所では、おまさが緊張していた。

「少し、眠っておきねえ」

と、大滝の五郎蔵や粂八にすすめられても、眠れるものではなかった。

お元が菱屋彦兵衛へ、出奔の日を一日延ばしてくれといったことを、おまさは知っていない。

ゆえに、明日のことをおもうと、居ても立ってもいられぬ気持ちであった。

長谷川平蔵は、

「菱屋の主人とお元が、箱崎町の船宿で落ち合い、出奔するようになれば、これをただちに取り押え、人目にたたぬよう、役宅へ連れてまいれ」

と、指令してある。

そして、日が暮れると同時に、深川と田町の駒止一味の盗人宿を包囲し、打ち込む手筈をととのえた。

「おまさ。明日は大変なことになるぞ」

と、五郎蔵が、

「いったい、お元は、どうするつもりなのだろうか？」

「わかりませんよ、私には……でも、もしやすると、何も彼も打ち捨てて、菱屋の旦那

と駆け落ちをするかも知れない。お元さんには、そういうところがあるもの」

「ふうむ……夜になっても二人が帰らぬとなれば、菱屋のほうでも騒ぎ出すだろう」

「明日も、豊の市は菱屋へ療治をしに来るだろうか？」

「さて、な……」

「お前さんが駒止の喜太郎だったら、どうする？」

「そうよな……そうなると、お元はおれの女。その女が引き込みをしているのだから、まあ、安心をしているだろうよ。それに豊の市は押し込みがすんだ後も、何くわぬ顔をして、このあたりに住みついているわけだから、後々《のちのち》のお調べのことも考え、怪しまれてはいけねえし、明日はきっと菱屋へは来ないだろうよ」

「私も、そうおもうのだけれど……」

錫師の二階の見張り所は二間あって、そこへ、八人の与力・同心・密偵が詰めている。

食事は、錫師の家でととのえてくれていた。


翌朝になると……。

長谷川平蔵は、菱屋からも程近い木挽町《こびきちょう》一丁目にある堀田備中守《ほったびっちゅうのかみ》（下総・佐倉十一万石）の中屋敷（別邸）へ移った。

あの〔鬼火〕事件でも、堀田屋敷内に指揮所を置かせてもらったことがあるし、万事に好都合であった。

平蔵に従う者は与力・同心・密偵を合わせて十名。

駒止一味の盗人宿へも、それぞれ、密かに人数を配置してあるし、箱崎町の船宿・吉野屋へは、小柳安五郎と小房の粂八などが見張りについている。

だが、昼すぎになっても、菱屋彦兵衛は外へ出て来ない。

お元も、あらわれぬ。

八ツ（午後二時）をまわったころ、菱屋の見張り所から大滝の五郎蔵が堀田屋敷へ駆けつけて来た。

「何、二人とも外へは出ぬ……？」

「はい。菱屋の旦那は店に出ておいでになります」

「ほう……」

長谷川平蔵は沈思した後に、

「これより半刻ごとに、菱屋の様子を知らせてくれ」

と、いった。

「かしこまりましてございます」

「油断するなと、一同に申しておけ」

「はい」

夕闇が濃くなってきた。

菱屋彦兵衛も、お元も、まだ外へあらわれぬ。

彦兵衛は平常と変りなく、店に出ているらしい。

ここにいたって長谷川平蔵は、今夜の駒止一味の押し込みが、決行されるにちがいないと直感した。

何かの事情で、彦兵衛お元の出奔が延引されたか、または、お元が彦兵衛のさそいを断わったものか、それは平蔵にもわからぬ。

平蔵は、諸方へ指令を飛ばした。

すると……。

五ツ半（午後九時）をまわったころに、五郎蔵が堀田屋敷へ駆け込んで来て、

「お元が出て来て、何処かへ向っております」

と、告げた。

「それで、彦兵衛は？」

「出てまいりません」

「お元を尾けているのは？」

「彦十爺《とっ》つぁんと、おまさでございます」

「よし。それでは、な……」

一瞬の沈黙の後に、長谷川平蔵は五郎蔵の耳へ何かささやき、

「わかったな、五郎蔵」

「はい」

「すぐに、行け」

　お元は、菱屋彦兵衛と出奔することをあきらめたのである。

　同時に、駒止一味の〔引き込み〕をも放棄した。

　そして、自分ひとりで逃げた。

　駒止一味は、お元が引き込まなくとも押し入るであろうか……。

　決められた時刻に、菱屋の通用口が内側から開かなかったとき、駒止の喜太郎は、どのような決断をするか……。

「かまわぬ、押し込め」

　と、強引に押し入って、殺生《せっしょう》を犯しても金蔵を襲うか、または、

「これは、お元の身に何かあったにちがいない。今夜は危い」

　おもいきって、引きあげるか。

　それは、お元にもわからぬ。

　常陸《ひたち》・土浦の浪人あがりで、当年四十五歳になる駒止の喜太郎は、酷薄な男だけに用心ぶかいところもある。

　お元は、

（たぶん、今夜の押し込みはあきらめるだろう）

　と、感じている。

いずれにせよ、お元の裏切りは間もなく喜太郎の耳へ入るだろうから、そうなれば駒止一味は、それこそ、

「目の色を変えて……」

お元を探しまわるにちがいない。

それは、もとより覚悟の上であった。

逃げるだけは逃げてみるつもりだが、見つけられて殺されても、菱屋彦兵衛を巻き込まずにすむ。

(私ひとりが殺されれば、いいのだから……)

このことであった。

彦兵衛は、駒止一味の押し込みがあるにせよ、ないにせよ、突然、行方《ゆくえ》知れずとなったお元を、あきらめるよりほかはないだろう。

お元を尾けて行った相模の彦十とおまさへ追いつき、長谷川平蔵の指令をつたえた大滝の五郎蔵は、半刻後に堀田屋敷へ引き返して来た。

「五郎蔵。どうであった?」

「お元は日本橋をわたり、神田の方へ向っております」

「さようか。よし、後は、おまさにまかせておこう」

それから間もなく、深川と田町の盗人宿を見張っている盗賊改方から、それぞれに報告が入ってきた。

田町の盗賊宿では、すでに舟を出したという。

これに盗賊どもが乗り込み、江戸湾へ漕ぎ出し、それから三十間堀へ入り、盗金を積み、引きあげるつもりであろう。

深川の盗賊宿からは、一人、二人と出て来て、暗夜の闇に消えて行ったというから、これは分散して、菱屋の近くへあつまるものと看てよい。

「こなたも急げ。なれど、かまえて気取《けど》られるな」

長谷川平蔵は、今夜は役宅から駆けつけて来ている佐嶋忠介と、かねての打ち合わせにもとづき、捕物陣を菱屋中心に配置することにした。

七

夜半すぎの九ツ半。

駒止一味の盗賊どもが合わせて十六名、菱屋彦兵衛方の通用口へ、音もなくあつまって来た。

いずれも、灰色の盗み装束に身を固めている。

いつの間にか、霧のような雨がけむりはじめていた。

首領の喜太郎が顎をしゃくったのを合図に、二人の盗賊が通用口へ身を寄せ、格子戸をこつこつと叩いて合図を送った。

だが、格子戸の向うの重い板戸は開こうともせぬ。

また、叩く。

まだ、開かぬ。

「どうした？」

と、駒止の喜太郎。

「開きません」

「何……」

「お元さんが、いねえようで……」

「ばかをいえ」

喜太郎が通用口へ歩み出した、そのとき、道の向い側の錫師の家の横手の路地から、ふらりとあらわれた人影が、

「おい、盗人ども」

と、声をかけてよこした。

ぎょっとして振り向いた盗賊どもへ、着ながしの浪人姿の男がゆっくりと近づきながら、

「おれは盗賊改方の長谷川平蔵だ。もう、すっかり囲んであるから逃げられねえぜ」

と、いった。

咄嗟《とっさ》に、盗賊どもは声もなく立ち竦《すく》んだ。

何が、どうしたのか、さっぱりわからなかったのであろう。

「神妙にして、みんな、そこへ坐れ」

声をかけつつ、長谷川平蔵が近づいて来るものだから、たまりかねた二人の盗賊が脇差を引き抜こうとしたのへ、物もいわずに平蔵が走りかかった。

亡父ゆずりの粟田口国綱《あわたぐちくにつな》二尺二寸九分の大刀を抜き打ちざまに、

「うわ……」

「むう……」

盗賊二人を右と左へ斬って捨てたものだから、残る十四名の駒止一味が愕然となった。

このとき、道の両端から〔火盗〕の高張提灯《たかはりぢょうちん》を掲げてあらわれた盗賊改方が合わせて二十七名、ひたひたと迫って来る。

「逃げろ!!」

駒止の喜太郎が脇差を抜きはらって叫んだ。

そのころ……。

三十間堀の一ノ橋下に待機していた盗賊の舟も取り押えられ、深川と田町の盗人宿へも盗賊改方が打ち込んでいる。

盗賊改方と駒止一味の乱闘も、さほどに長くはつづかなかった。

駒止の喜太郎は、長谷川平蔵に脇差を叩き落され、

「うぬ!!」

大手をひろげて組みついてきたが、一瞬早く、平蔵に股間《こかん》を蹴《け》りつけられ、

「う、うう……」

呻きながら、両膝をついたところへ、走り寄った沢田小平次が縄をかけてしまった。

はじめに平蔵が斬った二人も、わざと急所を外《はず》してあったので、死ぬこともなく捕えられた。

こうして駒止一味は捕えられたが、その中でただ一人、乱闘の最中《さなか》に町家の屋根へ飛びあがって、姿をくらました身の軽い男がいた。

これが、前々から探索中の磯部の万吉だったのである。

ところで……。

引き込みのお元は、神田から上野へ出て、坂本の通りの笠屋で簡単な旅仕度をととのえ、三ノ輪《みわ》を経て千住大橋をわたり、姿を消したそうな。

尾行していた彦十とおまさは、霧雨の千住の宿《しゅく》を通りすぎて行くお元を物陰から見送り、そこから引き返した。

長谷川平蔵の、

「もしも、江戸を離れるようならば、よきところで、見逃してやるがよい」

いいつけどおりにしたのだ。

おまさは泪ぐみながら、相模の彦十にいった。

「ねえ、おじさん。お元さんにお金をもたしてやりたかったのだけれど、そうしては、こっちの正体がわかってしまう。可哀相なことをしてしまったねえ」

ここまでくれば、お元の胸の内が手に取るように、おまさにもわかってきたのであろう。

それは、駒止一味の盗賊たちの処刑も終った翌年の梅雨《つゆ》の最中《さなか》であったが……。

三十間堀の三原橋のあたりの川面《かわづら》に、女の死体が浮いているのを、荷舟の船頭が発見した。

引きあげて、検屍してみると、心ノ臓のあたりが鋭利な刃物で深く突き刺されていた。

溺死《できし》ではない。

これが、何と引き込みのお元であった。

知らせを受けた長谷川平蔵は、

「遺体を引き取ってやるがよい」

と、いった。

盗賊改方の役宅へ運び込まれたお元の遺体は、大滝の五郎蔵おまさの夫婦の手でほうむられた。

「お元は、やはり、菱屋彦兵衛のことが、忘れられなかったのであろうか……なればこそ、もどっては危《あや》うい江戸へ密かに舞いもどって来たのではあるまいか。どうじゃ、おまさ」

「はい。私も、そのように、おもいますでございます」

「おもえば、あわれな女じゃ」

女の死体が三十間堀に浮かんだという噂は、近辺にひろまるであろうが、それがお元であることはだれも知るまい。

身許《みもと》も知れぬ女の死体が町すじや川水の中に打ち捨てられてあっただけのことだ。

「その後、菱屋彦兵衛は、どうしている?」

「毎日、これまでと同じように店へ出ておいでなさいますが……」

「どうした?」

「近所のうわさでは、ちかごろ、躰のぐあいがおもわしくなく、お医者に診てもらっているそうでございますよ」

「さようか」

平蔵は憮然《ぶぜん》となって、奥庭に降りこめている雨の音に聞き入っていたが、

「ときに、おまさ」

「はい?」

「お元を刺した奴は、だれだとおもう?」

「それは、あの……」

いいさしたおまさへ、平蔵はうなずいて見せ、

「わしも、磯部の万吉だとおもう。ながればたらきの盗賊にしては義理がたいやつ」

忌々《いまいま》しげに、そういった。

初出掲載誌「オール讀物」

霧の朝　昭和五十三年　十二月号

妙義の團右衛門　昭和五十四年　一月号

おかね新五郎　昭和五十四年　二月号

逃げた妻　昭和五十四年　四月号

雪の果て　昭和五十四年　五・六月号

引き込み女　昭和五十四年　七月号

＊本作品の中には、今日からすると差別的表現ないしは差別的表現ととられかねない箇所があります。しかし、それは江戸時代における風習、慣行にもとづく歴史的事実の記述、表現であり、作者に差別を助長する意図がないことは明白です。読者諸賢の御理解をお願いいたします。

文春文庫編集部

文春文庫

鬼《おに》平《へい》犯《はん》科《か》帳《ちよう》（十九）

定価はカバーに
表示してあります

2000年12月10日　新装版第1刷
2008年6月15日　第9刷

著者　池《いけ》波《なみ》正《しよう》太《た》郎《ろう》
発行者　村上和宏
発行所　株式会社 文藝春秋
東京都千代田区紀尾井町3-23　〒102-8008
TEL 03・3265・1211
文藝春秋ホームページ　http://www.bunshun.co.jp
文春ウェブ文庫　http://www.bunshunplaza.com

落丁、乱丁本は、お手数ですが小社製作部宛お送り下さい。送料小社負担でお取替致します。

印刷・凸版印刷　製本・加藤製本

Printed in Japan
ISBN4-16-714271-6

文春文庫

池波正太郎の本

（　）内は解説者。品切の節はご容赦下さい。

鬼平犯科帳 一
池波正太郎

「唖の十蔵」「本所・桜屋敷」「血頭の丹兵衛」「浅草・御厩河岸」「老盗の夢」「暗剣白梅香」「座頭と猿」「むかしの女」の八篇を収録。火付盗賊改方長官長谷川平蔵の登場。（植草甚一）

い-4-52

鬼平犯科帳 二
池波正太郎

「蛇の眼」「谷中・いろは茶屋」「女掏摸お富」「妖盗葵小僧」「密偵」「お雪の乳房」「埋蔵金千両」の七篇。江戸の風物、食物などが、この現代感覚の捕物帳に忘れ難い味を添える。

い-4-53

鬼平犯科帳 三
池波正太郎

「麻布ねずみ坂」「盗法秘伝」「艶婦の毒」「兇剣」「駿州・宇津谷峠」「むかしの男」の六篇を収める。〝鬼平〟と悪人たちから恐れられる長谷川平蔵が、兇悪な盗賊たちを相手に大奮闘。

い-4-54

鬼平犯科帳 四
池波正太郎

「霧の七郎」「五年目の客」「密通」「血闘」「あばたの新助」「おみね徳次郎」「敵」「夜鷹殺し」の八篇を収録。鋭い人間考察と情感あふれるみずみずしい感覚の時代小説。（佐藤隆介）

い-4-55

鬼平犯科帳 五
池波正太郎

〝鬼平〟長谷川平蔵にも危機が迫ることがある。間一髪のスリルに心ふるえる「兇賊」をはじめ、「深川・千鳥橋」「乞食坊主」「女賊」「おしゃべり源八」「山吹屋お勝」「鈍牛《のろうし》」の七篇を収録。

い-4-56

鬼平犯科帳 六
池波正太郎

「礼金二百両」「猫じゃらしの女」「剣客」「狐火」「大川の隠居」「盗賊人相書」「のっそり医者」の七篇。鬼平の心意気、夫婦のたたずまいなど、読者におなじみの描写の筆は一段と冴える。

い-4-57

文春文庫

池波正太郎の本

（　）内は解説者。品切の節はご容赦下さい。

鬼平犯科帳 七
池波正太郎

「雨乞い庄右衛門」「隠居金七百両」「はさみ撃ち」「搔掘のおけい」「泥鰌の和助始末」「寒月六間堀」「盗賊婚礼」の七篇。いつの時代にも変わらぬ人間の裸の姿をリアルに映し出す。

い-4-58

鬼平犯科帳 八
池波正太郎

巨体と髯面を見込まれ用心棒に雇われた男の窮地を救う「用心棒」のほか、「あきれた奴」「明神の次郎吉」「流星」「白と黒」「あきらめきれずに」を収録して、ますます味わいを深める。

い-4-59

鬼平犯科帳 九
池波正太郎

〝隙間風〟と異名をとる盗賊が、おのれの人相書を届けてきた。平蔵をコケにする「雨引の文五郎」。他に「鯉肝のお里」「泥亀」「本門寺暮雪」「浅草・鳥越橋」「白い粉」「狐雨」を収録。

い-4-60

鬼平犯科帳 十
池波正太郎

密偵として働くことになった雨引の文五郎に裏切られた平蔵の心境は如何。盗賊改方の活躍を描いた「犬神の権三」のほか、「蛙の長助」「追跡」「五月雨坊主」など全七篇を収録。

い-4-61

鬼平犯科帳 十一
池波正太郎

同心木村忠吾が男色の侍に誘拐される「男色一本饂飩」、平蔵が乞食浪人に化ける「土蜘蛛の金五郎」、盗んだ三百両を返しにゆく「穴」など全七篇を収録。　（市川久夫）

い-4-62

鬼平犯科帳 十二
池波正太郎

盗賊となった又兵衛との二十数年ぶりの対決を描く「高杉道場・三羽烏」のほか、「いろおとこ」「見張りの見張り」「密偵たちの宴」「二つの顔」「白蝮」「二人女房」の全七篇を収める。

い-4-63

文春文庫

池波正太郎の本

（　）内は解説者。品切の節はご容赦下さい。

鬼平犯科帳　十三
池波正太郎

盗賊の掟を守りぬいて、〝真〟の盗みをする盗賊が、畜生働きの一味を成敗する「一本眉」のほか、「熱海みやげの宝物」「殺しの波紋」「夜針の音松」「墨つぼの孫八」「春雪」を収録。

い-4-64

鬼平犯科帳　十四
池波正太郎

密偵の伊三次が兇悪犯に瀕死の重傷を負わされる「五月闇」に、「あごひげ三十両」「尻毛の長右衛門」「殿さま栄五郎」「浮世の顔」「さむらい松五郎」の六篇を収録。　（常盤新平）

い-4-65

鬼平犯科帳　十五
特別長篇　雲竜剣
池波正太郎

二夜続いて腕利きの同心が殺害された。その手口は、半年前、平蔵を襲った兇刃に似ている。あきらかに火盗改方への挑戦だ。初登場の長篇「雲竜剣」の濃密な緊張感が快い。

い-4-66

鬼平犯科帳　十六
池波正太郎

出合茶屋で女賊の裸をむさぼる同心の狙いは？　妻を寝とられた腹いせに放火を企てた船頭が、闇夜に商家へ忍び入る黒い影を見たとき……。巷にしぶとく生きる悪に挑む鬼平の活躍。

い-4-67

鬼平犯科帳　十七
特別長篇　鬼火
池波正太郎

もと武士らしき男がいとなむ〝権兵衛酒屋〟。その女房が斬られ、亭主は現場から姿を消す。謎を探る鬼平に兇刃が迫る。「むうん……」平蔵の唸り声がした。力作長篇「鬼火」の迫力。

い-4-68

鬼平犯科帳　十八
池波正太郎

大恩ある盗賊の娘が狙われている。密偵の仁三郎は平蔵に内緒で非常手段をとった。しかし、待っていたのは死であった。盗賊上がりの部下を思いやる「一寸の虫」ほか佳篇五作。

い-4-69

文春文庫

池波正太郎の本

池波正太郎
鬼平犯科帳 十九

幼児誘拐犯は実の親か？ 卑劣な犯罪を前にさすがの平蔵にも苦悩の色が……。ある時は鬼になり、ある時は仏にもなる鬼の平蔵の魅力を余すところなく描いた、著者会心の力作六篇。

い-4-70

池波正太郎
鬼平犯科帳 二十

「か、敵討ちの約束がまもれぬなら、わたした金を返せえ！」女から敵討ちを頼まれて逃げ回る男に、平蔵が助太刀を申し出て意外な事実が判明。「げに女心は奇妙な」と鬼平も苦笑。

い-4-71

池波正太郎
鬼平犯科帳 二十一

同心大島勇五郎の動静に不審を感じた平蔵が、自ら果敢な行動力で凶盗の跳梁を制する「春の淡雪」を始め、部下への思いやりをしみじみと映し出して〝仏の平蔵〟の一面を描く力作群。

い-4-72

池波正太郎
鬼平犯科帳 二十二
特別長篇 迷路

火盗改長官長谷川平蔵が襲われ、与力、下僕が暗殺された。平蔵の長男、娘の嫁ぎ先まで狙われている。敵は何者か？ 生涯の怪事件に遭遇し、追いつめられた鬼平の苦悩を描く長篇。

い-4-73

池波正太郎
鬼平犯科帳 二十三
特別長篇 炎の色

夜鴉が無気味に鳴く。千住で二件の放火があった。火付盗賊改方の役宅では、戦慄すべき企みが進行していた。——長谷川平蔵あやうし！ 今宵また江戸の町に何かが起きる！

い-4-74

池波正太郎
鬼平犯科帳 二十四
特別長篇 誘拐

風が鳴った。平蔵は愛刀の鯉口を切る。雪か？ 闇の中に刃と刃が嚙み合って火花が散った——。「鬼平犯科帳」は本巻をもって幕を閉じる。未完となった「誘拐」他全三篇。（尾崎秀樹）

い-4-75

文春文庫

池波正太郎の本

（　）内は解説者。品切の節はご容赦下さい。

池波正太郎
おれの足音 大石内蔵助（上下）

吉良邸討入りの戦いの合間に、妻の肉づいた下腹を想う内蔵助。剣術はまるで下手、女の尻ばかり追っていた〝昼あんどん〟の青年時代からの人間的側面を描いた長篇。（佐藤隆介）

い-4-7

池波正太郎
剣客群像

夜ごとに〈辻投げ〉をする美しい女武芸者・留伊のいきさつを皮肉にスケッチした「妙音記」のほか、「秘伝」「かわうそ平内」「柔術師弟記」「弓の源八」など七篇を収める。（小島香）

い-4-17

池波正太郎
忍者群像

戦国時代の末期、裏切りや寝返りも常識になっていた乱世の忍者の執念を描く「首」のほか、「鬼火」「やぶれ弥五兵衛」「寝返り寅松」「闇の中の声」など忍者小説七篇の力作群。

い-4-18

池波正太郎
仇討群像

仇討は単なる復讐ではなく武士世界の掟であった。その突発的事件にまきこまれた人間たちののっぴきならない生きざま。討つ者も討たれる者も共にたどるその無残で滑稽な人生を描く。

い-4-20

池波正太郎
その男（全三冊）

主人公、杉虎之助は微禄ながら旗本の嫡男。十三歳で、大川に身を投げ、助けられた時が波瀾の人生の幕開けだった。幕末から明治へ、維新史の断面をみごとに剔る長篇。（佐藤隆介）

い-4-23

池波正太郎
旅路（上下）

夫を殺した近藤虎次郎を〝討つ〟べく、彦根を出奔した三千代。封建の世に、武家社会の掟を犯してまでも夫の仇討に執念を燃やす十九歳の若妻の女の〝さが〟を描く時代長篇。

い-4-28

文春文庫

池波正太郎の本

（　）内は解説者。品切の節はご容赦下さい。

幕末新選組
池波正太郎

青春を剣術の爽快さに没入させていた永倉新八が新選組隊士となった。女には弱いが、剣をとっては隊長近藤勇以上といわれた新八の痛快無類な生涯を描いた長篇。（佐藤隆介）

い-4-83

雲ながれゆく
池波正太郎

行きずりの浪人に手ごめにされた商家の若後家・お歌。それは女の運命を大きく狂わせた。ところが、女心のふしぎさで、二人の仲は敵討ちの助太刀にまで発展する。（筒井ガンコ堂）

い-4-84

夜明けのブランデー
池波正太郎

週刊文春連載の正太郎絵日記。映画、ルノワールやユトリロら画家たちへの想い、酒と食などにまつわる四十のショート・エッセイと、それを彩る絵筆の妙とを二つながら楽しめる。

い-4-40

鬼平犯科帳の世界
池波正太郎編

著者自身が責任編集して話題を呼んだオール讀物臨時増刊号「鬼平犯科帳の世界」を再編集して文庫化した、決定版〝鬼平事典〟……。これ一冊で鬼平に関するすべてがわかる。

い-4-43

ル・パスタン
Le passe-temps

池波正太郎

仮病を使ってでも食べたかった祖母の〈スープ茶漬け〉、力のつく〈大蒜うどん〉、欠かせない観劇、映画、田舎旅行。粋人が百四のささやかな楽しみを絵と文で織りなす。オールカラー収録。

い-4-50

池波正太郎の春夏秋冬
池波正太郎

画文にこめた映画の楽しみ、心許す友と語る小説作法や芸談。往時を懐かしみ、老いにゆれる心をみつめる随筆。ファン必見の年賀状や豊子夫人の談話も収録し、人生の達人の四季を味わう。

い-4-51

文春文庫

時代小説

（　）内は解説者。品切の節はご容赦下さい。

地獄坂 非道人別帳［七］
森村誠一

往来でおきた武士の乱心が思わぬ大量殺傷事件を招いた。大勢の死傷者の中で一人だけ斬り口のちがう娘がいる。南町奉行所の一匹狼、弦一郎は現場を見た夜鷹と協力し解決にのりだす。

も-1-18

敗者の武士道 非道人別帳［八］
森村誠一

身内から疎まれ孤独に日を送る老武士は、ふとした縁で知りあった孤児の少女の絵を描くことに生きる縁《よすが》を見いだすが、少女は無頼の若者集団に輪姦され殺されてしまう。シリーズ完結篇。

も-1-19

だましゑ歌麿
高橋克彦

江戸を大波が襲った夜、当代きっての絵師・歌麿の女房が殺された。事件の真相を追う同心・仙波の前に明らかとなる黒幕の正体と、あまりに意外な歌麿のもう一つの顔とは？（寺田博）

た-26-7

おこう紅《べに》絵暦《えごよみ》
高橋克彦

筆頭与力の妻にして元柳橋芸者のおこうが、嫁に優しい舅の左門とコンビを組んで、江戸を騒がす難事件に挑む。巧みなプロットと心あたたまる読後感は、これぞ捕物帖の真骨頂。（諸田玲子）

た-26-9

剣聖一心斎
高橋三千綱

千葉周作が、二宮尊徳が、遠山金四郎までが、ことごとく心服したという驚くべき剣客、中村一心斎。しかし、本人は剣の道など何処吹く風と、今日も武田信玄の埋蔵金探しに、東奔西走!?

た-34-2

暗闇一心斎
高橋三千綱

「あい、あむ、はっぴい」この言葉を毎日唱えるのだぞ。日本一強い剣豪・一心斎が帰ってきた!? 勝小吉が呆れ、男谷精一郎が憧れ、鼠小僧を顎で使う一心斎、今度の企みは一体何だ。

た-34-3

（　）内は解説者。品切の節はご容赦下さい

氷葬
諸田玲子

夫の知己ということで泊めた男に凌辱され、激情にかられて男を殺してしまった下級藩士の妻。死体を沈めた沼は氷に閉ざされたが、それは長い悪夢の始まりにすぎなかった。（東直子）

も-18-1

あくじゃれ　瓢六捕物帖
諸田玲子

知恵と機転を買われて牢から解き放たれた粋な悪党・瓢六と、不承不承お目付役を務める堅物同心・篠崎弥左衛門の凸凹コンビが、難事件解決に活躍する痛快時代劇。（鴨下信一）

も-18-2

犬吉
諸田玲子

「生類憐れみの令」から十年。野良犬を収容する「御囲《おかこい》」を幕府が作った。そこで働く娘・犬吉は一人の侍と出会う。赤穂浪士討入りの興奮冷めやらぬ一夜の事件と恋を描く。（黒鉄ヒロシ）

も-18-3

損料屋喜八郎始末控え
山本一力

上司の不始末の責めを負って同心の職を辞し、刀を捨てた喜八郎。知恵と度胸で巨利を貪る札差たちと丁丁発止と渡り合う。時代小説シーンに新風を吹き込んだデビュー作。（北上次郎）

や-29-1

あかね空
山本一力

京から江戸に下った豆腐職人の永吉。己の技量一筋に生きる永吉を支える妻と、彼らを引き継いだ三人の子の有為転変を、親子二代にわたって描いた直木賞受賞の傑作時代小説。（縄田一男）

や-29-2

蒼龍《そうりゅう》
山本一力

借金を背負う若夫婦が、貧しい暮らしの中で追いかける大きな夢。どうか、今年こそ——。著者の原点を描いてオール讀物新人賞を受賞した表題作他、感動の時代小説全五篇。（縄田一男）

や-29-3